# French in the West

# Les Franco-Canadiens dans l'Ouest

Les Éditions des Plaines remercient chaleureusement
le Conseil des Arts du Canada et la Fondation des
ressources historiques de l'Alberta pour l'appui
financier apporté à la publication de cet ouvrage.

**Acknowledgements**

Alberta Historical Resources Foundation for coordinating
the project.
La Société franco-canadienne de Calgary for arranging for
the translation of the series of articles.
Bill Gold, *Calgary Herald,* for permission to use the articles and
for his encouragement.
Provincial Archives of Alberta, Edmonton, for its cooperation
and permission to use the photographs.


Maquette de la couverture et dessins: Michel Montcombroux

This material first appeared in the *Calgary Herald* as a series of
weekly columns by Dr. Grant MacEwan


ISBN 0-920944-45-0

FC3230.5.M33 1984   971.2'004114   C84-091425-3E

F1060.97.F83M33 1984


La reproduction d'un extrait quelconque de cette édition, notam-
ment par photocopie ou par microfilm, est interdite sans l'autorisation des Éditions des plaines inc.

Directeurs: Georges Damphousse
            Annette Saint-Pierre

Dépôt légal à la Bibliothèque Nationale d'Ottawa
4e trimestre 1984

Grant MacEwan

# French in the West

# Les Franco-Canadiens dans l'Ouest

ÉDITIONS DES PLAINES
C.P. 123
Saint-Boniface (Manitoba)
R2H 3B4
1986

# PREFACE

Western Canadians, be they French or English-speaking, know little of the history of French participation in the discovery, exploration and colonization of this part of the country.

The author, preoccupied with the divisions raised recently between Canadians of French origin and Canadians of English origin, proposes in his text to demonstrate to what point (since the first days of the French colonization) the West has been the reason for the numerous activities initiated by the French to maintain control. He retraces the numerous steps of the Western penetration and demonstrates that, even after the conquest, the "Canadiens" played a most important role. He points out that before and after Confederation the two groups, French and English, co-operated — each within their range of talents — to ensure that the West would become an integral part of the country. By intermarriage with the native Indians of the West, the Metis nation emerged, which has also played a preponderant role in this part of the country. The author traces their history.

Grant MacEwan is a man from the West. He places into perspective the contribution of the French Canadians in the development of the prairies. He wants to make those who read his text understand that if the West is prosperous today, it is due in large part to the interest that Canadians of both races have always displayed towards these immense territories, which are now an integral part of Canada. If French Canadians, because of their small numbers, have lost the influence they once held during the nineteenth century, they have nevertheless never lost interest. They have continued to make it prosper through immigration and through their political influence in Ottawa. Today, in all the Western provinces, one finds small French speaking areas with their

# PRÉFACE

Les Canadiens de l'Ouest, fussent-ils de langue anglaise ou de langue française, connaissent peu l'histoire de la participation française à la découverte, à l'exploration et à la colonisation de cette partie du pays.

L'auteur de ce livre, préoccupé par les divisions soulevées récemment entre le Canada d'expression française et le Canada d'expression anglaise, se propose dans son texte, de montrer jusqu'à quel point cette partie du Canada a été, dès les débuts de la colonisation française, l'objet de nombreuses démarches de la part des Français pour s'en assurer le contrôle. Il y retrace les diverses étapes de la pénétration de l'Ouest et démontre que même après la conquête, les "Canadiens" y ont joué un rôle de prime importance. Il démontre qu'avant la Confédération, et depuis, les deux groupes, anglais et français, ont coopéré, chacun selon ses talents, pour s'assurer que l'Ouest deviendrait partie intégrante du pays. En épousant des Amérindiennes des tribus de l'Ouest, des hommes des deux races ont formé une nation métisse qui elle aussi a joué un rôle prépondérant dans cette partie du pays. L'auteur en trace l'histoire.

Grant MacEwan, est un homme de l'Ouest. Il remet en perspective la contribution des Canadiens français à la conquête des Prairies. Il veut faire comprendre à ceux qui liront son texte que si l'Ouest aujourd'hui est prospère, il le doit en grande partie à l'intérêt que les Canadiens des deux races ont toujours manifesté envers ces immenses territoires qui font maintenant partie intégrante du Canada. Si les Canadiens français à cause de leur infériorité numérique ont perdu l'influence qu'ils avaient dans l'Ouest au 19e siècle, ils n'ont pas cessé de s'y intéresser. Ils ont continué par leur influence politique à Ottawa et par leur immigration à le faire prospérer. Aujourd'hui dans toutes les provinces de l'Ouest, on y retrouve des noyaux de langue française où se

unique traditions from Quebec. Despite some hard defeats, the French Canadians have never stopped believing that they were the co-founders of the Western provinces, and they continue to play an important role in this regard. It is partly due to them that we realized the enormous potential surrounding these territories. If other settlers from all corners of the world today enjoy an enviable prosperity, they should remind themselves that the French Canadians, by their humble efforts, long before them, navigated the breadth of this country, discovered it, civilized it, and prepared the ground for the immigrants of the future.

By this little history book, the author appeals to the French Canadians from Quebec to tell them that they have invested too much in this part of the country to now abandon it. On the other hand, he reminds Anglophones — who have a tendency to believe that all French Canadians live in Quebec and that our West does not interest them — of certain truths. History does confer certain rights. Grant MacEwan has gratefully, in his historic resume, described these certain truths.

Dr. Roger Motut

continuent les traditions apportées du Québec. Malgré de durs échecs, les Canadiens français n'ont jamais cessé de croire qu'ils étaient les co-fondateurs des provinces de l'Ouest, et ils continuent d'y jouer un rôle important. C'est en partie grâce à eux qu'on s'est rendu compte du potentiel énorme que renfermaient ces territoires. Si d'autres groupes de colons venus de tous les coins du monde, jouissent aujourd'hui d'une prospérité enviable, ils devraient se rappeler que les Canadiens français, par leurs humbles efforts, ont longtemps, avant eux, sillonné le pays, l'ont découvert, l'ont civilisé et ont préparé le terrain pour les futurs immigrants.

Par ce petit livre d'histoire, l'auteur fait appel aux Canadiens français du Québec pour leur dire qu'ils ont trop investi dans cette partie du pays pour vouloir l'abandonner. D'un autre côté, il rappelle certaines vérités à ses concitoyens anglophones qui ont tendance à croire que tous les Canadiens français vivent au Québec et que l'Ouest ne les intéresse guère. Il y a certains droits conférés par l'histoire. Grant MacEwan a le mérite d'avoir, dans ce résumé historique, fait la part de la vérité.

Dr Roger Motut

# 1

## A LOOK AT SOME STILL FAMILIAR NAMES FROM AN EARLIER PAST.

If the strength of Canada's French-speaking population lies in the province of Quebec, it is by no means true that it had been insignificant in the rest of the country. Explorers, businessmen, traders, missionaries, politicians — all appeared, together and separately, almost everywhere in what has become modern Canada.

And, for all that, the West sometimes appears today to be a bastion of English and new Canadian strength; it too attracted a variety of French and French-Canadian travellers. This is most apparent today in Manitoba, but Saskatchewan and Alberta were touched by the French fact too, a point borne out as well by names in their histories as by anything.

The de la Vérendryes led the French-Canadian parade west, and nothing will dull the glitter of the family name. Hard on their heels were the voyageurs, whose lasting impression shows in their Metis offspring. Then, as the West advanced to the homestead stage, there appeared a relatively small number of French-Canadians of somewhat different texture, men who would be conspicuous for leadership in any company, men like Girard, Dubuc, Royal, Rouleau, Forget, Légaré, L'Heureux and Lacombe.

### Migrants Came From All Walks of Life

Many of the bearers of prominent French names in the early period were churchmen with a fierce zeal for both their ancestry and Roman Catholicism. Some came directly from France. For settlers and others adhering to the faith, it was a memorable day when, in 1818, Fathers Provencher and Dumoulin arrived at Red River, the first of the strictly mis-

# 1

## QUELQUES NOMS FAMILIERS DE NOTRE PASSÉ

Si la force de la population francophone du Canada repose sur la province de Québec, il faut signaler une présence francophone significative dans le reste du pays. En effet, qu'ils soient explorateurs, hommes d'affaires, commerçants, missionnaires ou politiciens, en groupes ou individuellement, ils ont pénétré presque partout dans ce qui est devenu le Canada d'aujourd'hui.

Bien que, de nos jours, l'Ouest soit considéré comme un bastion anglais et néo-canadien, cette région a aussi attiré divers voyageurs français et canadiens-français. C'est surtout au Manitoba que l'on peut le constater, mais l'histoire de la Saskatchewan et de l'Alberta a également été marquée par la présence française, et bien des noms en fournissent la preuve.

Ce sont les La Vérendrye qui ont ouvert le long défilé de Canadiens français vers l'Ouest et rien ne saurait ternir le nom de cette famille. Les suivent de bien près les "voyageurs" dont les descendants métis perpétuèrent l'image et le souvenir. Puis, au fur et à mesure que l'Ouest s'ouvrait à l'agriculture, sont venus aussi quelques Canadiens français d'une autre trempe, prêts à être chefs où qu'ils soient; des hommes tels que Girard, Dubuc, Royal, Rouleau, Forget, Légaré, l'Heureux et Lacombe.

### Des immigrants de toutes les couches sociales

Au début, beaucoup de ces gens aux noms éminents étaient des hommes d'Église, ardents défenseurs de leur foi, fiers de leurs ancêtres. Quelques-uns venaient directement de France. Aussi ce fut un grand événement à la Rivière-Rouge pour tous les catholiques, pionniers et autres, le jour

sionary group in Manitoba. Farther west, in what is now Alberta, the corresponding "firsts" were recorded by Fathers Blanchet and Demers, with Father Albert Lacombe following shortly after.

It would be impossible to catalog all those Quebec Canadians who migrated to the West and remained to exercise positive influences. The searcher will find them in all walks of western life — Michael Oxarart for example, an Old Country Frenchman who drove a band of Montana horses through Calgary in 1884 en route to the Cypress Hills, where he settled to breed thoroughbreds, or the colourful Jean L'Heureaux, a son of Old Quebec who apparently failed his tests for the priesthood and took up the life of the Plains Indians, mixing horse-stealing, buffalo-hunting, interpreting and unauthorized preaching to produce a rare blend in any society.

Then, there was Edouard Beaupré, the Willow Bunch Giant whose height of eight feet attracted the circus world. This son of Gaspard Beaupré of Willow Bunch, Saskatchewan, the oldest of twenty children, astonished thousands before he became ill and died when the circus was playing in St. Louis.

The French-Canadian community, however, also contributed to political life. Some of those who succeeded came west in response to an urgent plea from Bishop Taché, long recognised as an effective political strategist and the man who persuaded three bright young Quebecers to adopt the West and help safeguard French interests there. These men, Marc Amable Girard, Joseph Dubuc and Joseph Royal, all ran successfully in Manitoba's first provincial election on December 30, 1870. It was enough to ensure a strong French-Canadian voice in the first legislature.

## Bigger Assignment, Problems Came Later

Girard became Manitoba's first treasurer and then headed an administration which held office briefly before running aground on the shoals of French as an official language and the dual school system.

The same three French-Canadians were among those named in 1873 to the first council of the North-West Terri-

où les abbés Provencher et Dumoulin sont arrivés en 1818. Ils formaient, en effet, le premier groupe de missionnaires au Manitoba. Plus à l'ouest, les premiers missionnaires, dans ce qui constitue maintenant l'Alberta, furent les pères Blanchet et Demers, suivis de près par le père Lacombe.

Il serait vain de vouloir citer tous les Canadiens français venus de l'Est et demeurés dans nos régions pour y exercer leur influence. Ces hommes ont marqué tous les aspects de la vie de l'Ouest. Mentionnons, par exemple, Michel Oxarart, un Français de la vieille France, qui, en 1884, mène un troupeau de chevaux du Montana, traverse Calgary, et continue sa route jusqu'aux "Cypress Hills" où il s'y établit pour faire l'élevage du pur-sang. Ou encore, Jean L'Heureux, le Québécois excentrique qui, semble-t-il, après avoir raté les examens d'entrée au séminaire, partit vivre la vie des Indiens des Plaines. Là, l'éventail de ses activités fut assez déroutant; il a tout aussi bien chassé le bison que volé des chevaux, agi comme interprète que prêché sans autorisation.

Citons aussi Édouard Beaupré, géant de Willow Bunch, dont la taille peu commune (il mesurait huit pieds) constituait la principale attraction dans le monde du cirque. Fils de Gaspard Beaupré, l'aîné de vingt enfants, il a impressionné des milliers de personnes jusqu'au jour où, atteint de maladie, il mourut lors du passage du cirque à Saint-Louis.

La communauté francophone a également contribué à la vie politique. Parmi ceux qui ont réussi, certains sont venus vers l'Ouest en réponse à l'appel pressant de l'évêque Taché. Celui-ci, dont le talent de stratège politique ne faisait aucun doute, a réussi à attirer dans l'Ouest, afin d'y protéger les intérêts français, trois jeunes Québécois à l'intelligence prometteuse. Ces hommes, Marc Amable Girard, Joseph Dubuc et Joseph Royal ont tous les trois été élus aux premières élections provinciales du Manitoba, le 30 décembre 1870. Cela assure donc, dès la première Législature, une forte représentation canadienne-française.


### Avec les responsabilités viennent les problèmes

Girard devient le premier trésorier du Manitoba et dirige ensuite pendant une courte période une administra-

tories under Lieutenant-Governor Alexander Morris. The council, located in Winnipeg, was called on to order the affairs of a region some members had never seen. Consequently, it proved ineffective.

For Joseph Royal, the bigger assignment and biggest problems came later, when he had a five-year term as a not-very-popular lieutenant-governor.

In the meantime, still another bright young man was recruited in Quebec and transplanted to the western soil. Perhaps the most celebrated of the group was Amadée Emmanuel Forget, born at Marieville, Quebec, in 1847. Tall, handsome and popular, he might have been a candidate for the diplomatic service. He intended to practise law, but soon after being admitted to the bar of Quebec and settling to practise in Montreal, he began receiving calls from the West.

After serving on the Halfbreed Land Commission, Forget accepted an offer of a more permanent position still farther west, as clerk of the new legislative council of the North-West Territories. The council was soon to sit for the first time at the recently chosen capital site of Fort Livingstone, close to Swan River in what would later be northeastern Saskatchewan.

Such administration as the Territories had known had come from a lieutenant-governor presiding over both the province of Manitoba and the Territories, and residing in Winnipeg. Now, in 1876, the North-West Territories would have an exclusive lieutenant-governor, the tall Maritimer, the Honorable David Laird, and a legislative council of three appointed members and a clerk. It was called to its first session on March 22, 1877. It would be a landmark in government.

The first problem was transportation to Fort Livingstone during the winter. The three voting members of the council, Stipendiary Magistrates Matthew Ryan and Hugh Richardson and Mounted Police Commissioner James Macleod, were expected to make the long journey by any means available. For Macleod, it meant travelling south from Fort Macleod to Fort Benton by police team and wagon, east by stage-coach and train to Chicago, then to Fargo, North Dakota and by rail to Winnipeg, and over the final 300 miles

tion qui se heurte très vite au problème du français comme langue officielle et à la question du double système scolaire.

Le même triumvirat se retrouve, en 1873, parmi les membres du premier Conseil des Territoires du Nord-Ouest sous l'autorité du lieutenant-gouverneur Alexander Morris. Ce Conseil qui siégeait à Winnipeg pour diriger les affaires d'une région encore jamais visitée par certains des membres s'avère cependant inefficace.

Quant à Joseph Royal, de plus grandes responsabilités ne lui amènent que des problèmes et son mandat de cinq ans comme lieutenant-gouverneur le rendra peu populaire. Cependant, un autre homme, jeune et brillant, peut-être le plus renommé du groupe, a été recruté au Québec et transplanté dans la terre de l'Ouest: Amédée Emmanuel Forget, né à Marieville, au Québec, en 1847. Grand, beau, populaire, il aurait pu être candidat aux services diplomatiques. Il comptait être avocat, mais peu après s'être inscrit au barreau du Québec et s'être installé à Montréal, les appels venant de l'Ouest se multiplient pour lui.

Après avoir servi à la "Commission des Terres des Métis", Forget accepte, encore plus à l'ouest, le poste plus permanent de secrétaire du tout nouveau Conseil législatif des Territoires du Nord-Ouest; ce Conseil allait bientôt siéger pour la première fois à Fort Livingstone, sa toute nouvelle capitale située près de Swan River, région qui constituera plus tard la partie nord-est de la Saskatchewan.

Jusqu'à cette époque, les Territoires du Nord-Ouest avaient été administrés par un lieutenant-gouverneur résidant à Winnipeg et régissant à la fois la province du Manitoba et les Territoires. Mais à partir de 1876, les Territoires du Nord-Ouest allaient avoir leur propre lieutenant-gouverneur: l'Honorable David Laird, originaire des provinces maritimes, ainsi qu'un Conseil législatif composé de trois membres nommés et d'un secrétaire. La première session de ce Conseil, ouverte le 22 mars 1877, devait marquer dans le gouvernement une étape très importante.

La première difficulté à se présenter fut celle du transport des membres du Conseil vers Fort Livingstone pendant la période de l'hiver. Les trois membres ayant à voter au Conseil, à savoir, Matthew Ryan et Hugh Richardson,

by sled and dogteam. Incidentally, the trip from Chicago to Fort Livingstone was also Commissioner Macleod's honeymoon.

At Livingstone, where 90 wood-burning stoves were needed to maintain a tolerable temperature at the seat of government, Clerk Forget quickly settled into a secretarial role in which he would be very much like the general manager of a new business, the directors of which were all strangers to its operations. His guiding hand would be needed.

Forget went on to witness the complete development of government in the Territories. After serving as clerk at Livingstone, he moved with the government the next year to Battleford and then to Regina. He remained popular without any surrender of French-Canadian loyalties. In 1885, he might have been seen yielding to French sentiment, travelling to Winnipeg and urging Bishop Taché to call again on Prime Minister John A. Macdonald to spare the life of Louis Riel. Forget sat on the territorial board of education; he was Indian commissioner for a time, and in 1898 he was appointed lieutenant-governor of the Territories. In 1905, when the provinces of Alberta and Saskatchewan were being carved out of the Territories, A.E. Forget, retiring lieutenant-governor in the old regime, was sworn in as the first lieutenant-governor of the province of Saskatchewan.

Joseph Royal, an earlier lieutenant-governor of the Territories, did not fare as well. But in becoming the target of zealots in a hurry to obtain responsible government, he was the victim of circumstances, obliged to answer for the sins of the federal government.

As a member of the Manitoba legislature, Royal had acquitted himself well. When Premier John Norquay took office in 1879, for example, and made a trip to Ottawa to present a list of problems, mainly in matters of money and public lands, he took with him his most persuasive young minister, Joseph Royal.

After a few years as a successful lawyer in Winnipeg, Royal was called by John A. Macdonald in July, 1888, to become lieutenant-governor of the North-West Territories, with his office in Regina. It was the talk of the time that

magistrats rétribués, et James Macleod, commissaire de la Gendarmerie royale, durent coûte que coûte trouver un moyen pour accomplir ce long voyage. Macleod, lui, dut d'abord aller au sud de Fort Macleod jusqu'à Fort Benson en équipage de la Gendarmerie, se diriger vers l'est en diligence puis par le train jusqu'à Chicago, puis, encore par le train, vers l'ouest jusqu'à Fargo (Dakota du Nord); il prit de nouveau la diligence jusqu'à Winnipeg et les trois derniers milles, enfin, il les fit en traîneau. Soit dit en passant, ce voyage de Chicago à Fort Livingstone fut aussi le voyage de noces de Macleod.

À Fort Livingstone, où il fallait quatre-vingt-dix poêles à bois pour maintenir une température vivable dans les locaux du gouvernement, Forget prend rapidement en main son rôle de secrétaire, poste très semblable à celui de contre-maître d'une nouvelle entreprise dont les directeurs ignore-raient le fonctionnement.

Forget est témoin des diverses phases du gouverne-ment des Territoires du Nord-Ouest. Après sa fonction de secrétaire à Fort Livingstone, il s'installe, avec le Conseil, à Battleford l'année suivante et plus tard à Régina. Il demeure très populaire tout en restant fidèle à la cause canadienne-française. On a pu juger, par exemple, de son attachement au fait français lorsqu'il est allé, en 1885, à Winnipeg supplier Taché de demander au premier ministre J.A. MacDonald de gracier Louis Riel. Membre du Conseil d'Éducation des Ter-ritoires, il est pendant un certain temps, chargé des Affaires Indiennes du Nord-Ouest, puis, en 1898, nommé lieutenant-gouverneur des Territoires du Nord-Ouest. En 1905, au moment où l'Alberta et la Saskatchewan se constituent en provinces distinctes des Territoires, A.-E. Forget prête ser-ment et devient ainsi le premier lieutenant-gouverneur de la province de la Saskatchewan.

Joseph Royal, mentionné plus haut, n'avait pas aussi bien réussi en qualité de lieutenant-gouverneur des Terri-toires. En effet, devenu la cible d'extrémistes désireux d'ob-tenir sans délai un gouvernement autonome, il a été victime des circonstances et rendu personnellement responsable des erreurs du gouvernement fédéral.

Manitoba's appointment of a French-Canadian to the office was a political concession to Quebec, intended to help restore party support lost after the execution of Riel. The gesture may have served Macdonald's purpose, but it proved to be rough on Royal.

By an 1888 amendment to the North-West Territories Act, the Territories were granted a Legislative Assembly. It seemed like the answer to a plea for self-government with legislative control of spending. But it was soon apparent that Ottawa's interpretation was not the same as that of the elected members of the assembly. And Joseph Royal, speaking with a pronounced French-Canadian accent, was caught in the middle of a controversy in which he found it impossible to meet both points of view. He considered himself the servant of the federal government — in some ways a mere instrument of control of spending. He believed the senior government wished to allow the territorial assembly to direct the spending of its own revenue, but not funds which came in the form of grants from Ottawa. All expenditures of funds from the national purse would therefore require approval by himself as servant of the senior administration. This infuriated members of the assembly, particularly Frederick Haultain, who was chairman of the advisory council — something resembling an executive — and the most outspoken member in demanding self-government.

Before the session of 1889 ended, Lieutenant-Governor Royal made it clear that he would not accept the advice of the advisory council because, in his opinion, the amendment of 1888 did not confer full responsible government. Territorial democrats were angry. Haultain and his advisory council offered resignations and Royal accepted them, naming a more compliant council with Dr. R.G. Brett as chairman. The assembly immediately voted non-confidence. Brett's council submitted its resignation and Royal refused to accept it. The assembly, under Haultain's leadership, now refused to vote supply for the year to come until the Lieutenant-Governor accounted for all spending in the previous year.

Royal replied that the minister of justice approved of his actions. But the assembly insisted that it was not government by the people as long as the lieutenant-governor acted

En tant que membre de la législature du Manitoba, cependant, Royal avait bien rempli son rôle. Lorsque, par exemple, le premier ministre John Norquay entre en fonction en 1879 et se rend à Ottawa pour présenter une liste de griefs touchant surtout les questions d'argent et de terres publiques, il se fait accompagner par son ministre le plus persuasif: le jeune Joseph Royal.

Royal exerçait sa profession d'avocat à Winnipeg depuis quelques années lorsqu'en juillet 1888 John A. MacDonald le nomme, à Régina, lieutenant-gouverneur des Territoires du Nord-Ouest. Il a été dit à l'époque que MacDonald avait nommé un Canadien français à ce poste à titre de concession politique envers le Québec et cela pour restaurer le soutien politique qu'il avait perdu après l'exécution de Louis Riel. Il se peut que ce geste ait servi la politique de MacDonald, mais Royal, lui, n'en a retiré que des déboires.

En 1888, grâce à un amendement à l'Acte des Territoires du Nord-Ouest, ceux-ci obtiennent une Assemblée législative. Cela semble répondre aux demandes autonomistes tout en gardant un contrôle législatif des dépenses. Mais très tôt, il apparaît que l'interprétation d'Ottawa ne correspond guère à celle des membres élus à l'Assemblée; Joseph Royal, qui parlait avec un accent français très prononcé, se trouve au milieu d'une controverse où il lui est impossible de concilier les deux parties. Étant au service du gouvernement fédéral, il se considère plus ou moins comme un simple outil de contrôle fédéral des dépenses. Il croit que le gouvernement central veut permettre à l'Assemblée des Territoires de gérer ses propres revenus à la seule exclusion des octrois provenant d'Ottawa. Toutes les dépenses de fonds nationaux devraient donc être approuvées par lui en tant que représentant de l'administration fédérale. Cela exaspère divers membres de l'Assemblée et particulièrement Frédérick Haultain, président du Conseil consultatif (poste semblable à celui d'un agent exécutif) et également le partisan le plus intransigeant de la cause autonomiste des Territoires.

Avant la fin de la session de 1889, le lieutenant-gouverneur Royal déclare qu'il n'acceptera pas les protestations du Conseil puisqu'à son avis, l'amendement de 1888

on advice from an unelected council responsible to him alone.

Ottawa now admitted that the law of 1888 was not intended to confer full responsible government. The lieutenant-governor was still the chief executive officer. Thus Royal was in the right, although not in a comfortable position. The legal position was that the government of Canada was still the only executive body of the Territories and the lieutenant-governor was still the voice of that executive authority. The conflict dragged on to the end of Royal's term in 1893 and he was not unhappy to retire from it.

## Légaré Arranged Sitting Bull's Exit

An early leader in what became southern Saskatchewan was Jean Louis Légaré, known commonly as Jean Louis. He arrived in Wood Mountain in 1870 by way of St. Paul and remained to trade with the Metis people. Of him, Marie Albina Hamilton said: "One of the finest men I have ever known."

It was to Légaré's area that Sitting Bull and his 5,000 refugee Sioux Indians came in 1876-77. Légaré was one of the few people to win and hold the chief's confidence. Indeed, the ultimate success in persuading Sitting Bull to return to the United States was largely the result of Légaré's efforts. After four years on the Canadian side, Sitting Bull was hungry and discouraged, and when he was urged to return in 1881, he agreed to go if Jean Louis would accompany him. Légaré cooperated and furnished the rations and carts needed for the long trail journey that brought the party to the U.S. Army post, Fort Buford, where the chief surrendered.

Légaré died in 1918 and Willow Bunch, Saskatchewan, remembered its founding father with a cairn, a park and a sense of reverence.

Forget and Légaré might qualify as legends in Saskatchewan, but for Alberta, the last word about early French-Canadian personalities must be reserved for Father Albert Lacombe, the Man of Good Heart, who came into the area in 1852 and died in the province in 1916. Like Bishop Taché in Manitoba, Father Lacombe became an oracle to French-

n'accorde pas au gouvernement une entière autonomie. Les démocrates des Territoires ne cachent pas leur colère. Haultain et les membres du Conseil offrent leur démission en bloc, et Royal l'accepte. Il les remplace par un Conseil plus docile sous la présidence du Dr R.G. Brett. L'Assemblée oppose immédiatement à celle-ci un vote de non-confiance, ce qui pousse le Dr Brett et son Conseil à démissionner. Royal refuse cette démission. L'Assemblée, menée par Haultain, refuse alors de voter le budget de l'année à venir avant que le lieutenant-gouverneur n'ait d'abord rendu compte des dépenses de l'année écoulée.

Royal rétorque qu'il a l'appui du ministre de la Justice, ce à quoi l'Assemblée proteste qu'on ne peut parler de gouvernement par le peuple si le lieutenant-gouverneur ne consulte qu'un Conseil non élu, à qui, seul, il doit rendre des comptes.

Ottawa convient alors que la loi de 1888 n'avait pas pour but de créer un gouvernement autonome et que le lieutenant-gouverneur en a toujours le plein pouvoir exécutif. Royal est donc dans son droit, bien que dans une position très délicate. Selon l'argument légal, le gouvernement du Canada était le seul corps exécutif des Territoires et le lieutenant-gouverneur, le seul porte-parole de cette autorité. Le conflit s'éternise jusqu'en 1893, date à laquelle prend fin un mandat que Royal quitte sans regret.

### Légaré organise le départ de Sitting Bull

Jean-Louis Légaré, appelé Jean-Louis, est l'un des personnages de marque de ce qui deviendra plus tard le Sud de la Saskatchewan. C'est par Saint-Paul, qu'il arrive en 1870 à Wood Mountain où il s'établit pour faire du commerce avec les Métis. Marie Hamilton a déclaré à son sujet: "c'est l'un des meilleurs hommes que j'aie jamais connus".

C'est dans cette même région que Sitting Bull et ses cinq mille réfugiés Sioux affluent en 1876-1877. Légaré a été l'un des seuls à gagner et surtout à garder la confiance du chef indien. En fait, c'est bien grâce aux efforts de Légaré que Sitting Bull a fini par accepter de retourner aux États-Unis à la seule condition que Jean-Louis Légaré l'accompagne. Légaré accepte et, en 1881, fournit les rations alimentaires et les charrettes nécessaires à ce long voyage de retour jusqu'à

speaking people farther west. And in heralding his own race and church, he proved that a good ambassador can be effective without offending people of other persuasions. As one of his colleagues remarked of him: "He did not limit himself to any group or groups. He loved them all, Catholic and Protestant, white skin or red, French or English." And they reciprocated with their admiration and affection.

### Lacombe's Record of Big Hunt Prized

His ancestry was like Louis Riel's, French but not all French; there was a tiny infusion of Indian blood in both. In the middle of the 18th century, Ojibway Indians had kidnapped a 17-year-old girl, Marie-Louise Beaupré from her St. Lawrence River home. She was presumed dead for almost 10 years until an uncle trading in Indian country near Sault Ste. Marie recognised her. They were smart enough to hide their emotions, but the uncle quietly instructed the girl to meet him later for a return home. She did, with two halfbreed children. One of the Metis children born to her in her captive years became the great-grand-parent of the boy, Albert Lacombe, whom his parish priest called affectionately, "My little Indian".

Lacombe was born on the habitant farm near St. Sulpice from which the girl was kidnapped. With encouragement and help from the local priest, Father Viau, the boy obtained a moderate education which took him to l'Assomption College. He knew what he wanted to do: he wanted to be a missionary in the West. By 1850, he was at Pembina on the Red River, sharing the lives of the Metis and even going with them on their buffalo hunts.

One of the most valuable records of a Red River buffalo hunt is the journal account Lacombe left of the summer expedition of 1850. Like other big hunts in that part, this one was conducted with "the fine discipline of a military camp". The Metis Wilkie, was the supreme commander. Camp and hunting rules were drawn and enforced rigidly. Between 800 and 1,000 Red River carts, with men, women, children, horses and oxen in proportion, went out together. Lacombe estimated that buffalo taken and converted to pemmican would number "close to 800".

Fort Buford, poste de l'armée américaine, où le chef se soumet.

Légaré meurt en 1918 à Willow Bunch en Saskatchewan. Un parc ainsi qu'un monument élevé à sa mémoire témoignent bien du profond respect porté à ce fondateur.

Si en Saskatchewan, Forget et Légaré passent sans doute pour héros de légende, en Alberta, la place d'honneur revient sans conteste au père Lacombe, homme au coeur d'or qui, venu dans la région en 1852, y meurt en 1916. Tel l'évêque Taché au Manitoba, le père Lacombe est devenu le porte-parole des francophones des régions plus occidentales. Tout en proclamant sa race et sa religion, il prouve qu'un bon ambassadeur peut être efficace sans toutefois avoir à offenser les gens d'autres croyances. Ainsi que le note un de ses amis, il était ouvert à tous et à chacun et "il les aimait tous, catholiques et protestants, blancs ou rouges, Anglais ou Français"; tous l'admiraient et lui rendaient bien l'affection qu'il leur portait.

## Une chasse au bison: le récit du père Lacombe

Ses ancêtres, tout comme ceux de Louis Riel, n'étaient pas tout à fait français: du sang indien coulait dans leurs veines. En effet, au milieu du XVIIIe siècle, des Indiens ojibways avaient enlevé une jeune fille de dix-sept ans, Marie-Louise Beaupré, qui vivait avec sa famille au bord du Saint-Laurent. On la croyait morte quand, près de dix ans plus tard, un de ses oncles la reconnut alors qu'il faisait du commerce en pays indien près de Sault Sainte-Marie. L'un et l'autre parviennent à dissimuler leur émotion mais l'oncle, à l'insu de tous, donne à sa nièce des instructions de façon à pouvoir la rejoindre plus tard pour la ramener aux siens. Comme convenu, elle se rend au lieu du rendez-vous, accompagnée de deux enfants métis. C'est l'un de ces enfants, nés pendant la captivité de Marie-Louise Beaupré, qui deviendra plus tard l'arrière-grand-père du jeune Lacombe. Et c'est pourquoi le prêtre de sa paroisse l'appelait affectueusement "mon petit Indien"...

Lacombe est né dans la ferme près de Saint-Sulpice, d'où, bien auparavant, la jeune fille avait été enlevée. Encouragé et aidé par le prêtre du village, le père Viau, le garçon

## He Faced Bullets, Instituted "Trains"

Shortly after, Lacombe accepted an invitation from Bishop Taché to go farther west. In 1852, he met John Rowand at Fort Edmonton and went on to Lac Ste. Anne to work among Indian and Metis. In the years that followed, he went with his people everywhere, facing bullets, disease, bad weather and hunger. A man of action and strong will, he would build a school, a bridge, a hospital, a flour mill or whatever seemed to be needed. He also instituted Red River cart trains on the long trails.

He confronted warring tribes in order to stop killing. When the Crees made a night attack upon a Blackfoot camp at which he was staying, Lacombe strode out to bring comfort to the wounded and then, after commanding the Blackfoot to stop shooting, he marched toward their enemies, calling upon them to cease.

But at that minute, a bullet grazed his shoulder and blood covered his face as he fell. As the story has been told, Chief Crowfoot of the Blackfoot saw the priest fall and shouted in anger at the Crees: "You dogs, you have shot Good Heart. You have killed the Man of Prayer."

Bishop Taché visited in 1861 and he and Lacombe selected a site for a mission north of Fort Edmonton, the one to be called St. Albert. Lacombe also built a bridge on the nearby Sturgeon River, the first in the Edmonton area.

## Calgary "Claimed" Famed Missionary

The confidence which Lacombe earned from Indian and Metis over the years paid returns both when the Canadian Pacific Railway was being built and the native people offered physical resistance, and when, in the year of the North-West Rebellion, Louis Riel's messengers were sent to invite the Indians to take the warpath.

At one point, Lacombe rode a CPR locomotive from Calgary to Gleichen in a successful mission to urge Chief Crowfoot to keep the Blackfoot at peace during construction of the railway. Another time, he and Rev. John McDougall travelled ahead of the military again to pacify the unsettled native people along the way.

Calgary was establishing a claim upon Lacombe. Did he

reçut une éduation honorable qui le conduisit au Collège de l'Assomption. Il savait déjà ce qu'il voulait faire: devenir missionnaire et partir pour l'Ouest. Vers 1850, il était à Pembina, sur la rivière Rouge, partageant la vie des Métis, et faisant même la chasse au bison avec eux.

Grâce au récit que Lacombe nous en fait dans son journal, écrit lors de la grande expédition de l'été 1850, il nous reste de l'une de ces chasses, un compte rendu aujourd'hui des plus précieux. Comme les autres grandes chasses de la Rivière-Rouge, celle-ci est "menée avec la bonne discipline d'un camp militaire". Le Métis Wilkie en est le commandant en chef. Les consignes touchant à la chasse et au camp sont précises et appliquées à la lettre. De 800 à 1,000 personnes de la Rivière-Rouge (hommes, femmes et enfants) y participent avec des chevaux et des boeufs; Lacombe estime à "près de 800" le nombre de bisons abattus puis transformés en pemmican ou viande séchée.

## Il brave le danger et organise des convois

Peu après, Lacombe accepte une invitation de l'évêque Taché et part plus à l'ouest. En 1852, il rencontre John Rowand à Fort Edmonton, puis continue jusqu'au lac Sainte-Anne pour travailler parmi les Indiens et les Métis. Durant les années qui suivent il ne les quitte plus, bravant les dangers, les maladies, le mauvais temps et la faim. Infatigable et tenace, il construit tantôt une école, un pont, tantôt un hôpital, un moulin à farine ou tout ce qui s'avère utile à la communauté. C'est lui également qui organise dans cette région les convois de charrettes pour les longs voyages.

En outre, il a le don d'apaiser les tribus en guerre afin d'éviter les massacres. Une nuit, par exemple, alors que des Cris viennent d'attaquer un camp de Pieds-Noirs où il se trouve, Lacombe sort pour réconforter les blessés puis, ordonnant aux Pieds-Noirs de cesser de tirer, il s'avance vers les attaquants en leur demandant d'arrêter l'offensive. Mais juste à ce moment-là, une balle lui touche l'épaule et, le visage couvert de sang, il s'écroule. L'histoire veut que Crowfoot, chef des Pieds-Noirs, voyant le prêtre tomber, lance vers les Cris ces mots chargés de colère: "Chiens que vous êtes! Vous avez tiré sur l'homme au bon coeur! Vous

not homestead a quarter section within the boundaries of the city that was to be? Did he not plan and direct the building of the Lacombe Home on ground that would become part of Calgary, and then retire to it? Did he not win his way to the hearts of Calgarians? When he died in 1916, his body was sent to St. Albert, but his heart was left behind at the Lacombe Home.

*Le père Albert Lacombe, o.m.i.*

avez tué le prêtre!" Honteux, les Cris se dispersent, mettant fin à cette bataille.

L'évêque Taché rend visite à Lacombe en 1861 et ensemble ils choisissent, au nord de Fort Edmonton, l'emplacement d'une mission appelée par la suite Saint-Albert. Lacombe fait construire aussi un pont sur la rivière Sturgeon, le premier dans la région d'Edmonton.

## Calgary revendique cet illustre missionnaire

Cette confiance que Lacombe avait inspirée aux Indiens et aux Métis pendant des années, devait porter ses fruits au moins à deux reprises: lors de la construction du chemin de fer du Pacifique Canadien à laquelle s'opposaient les indigènes, et aussi plus tard, durant les années de la rébellion du Nord-Ouest, lorsque les émissaires de Louis Riel avaient été dépêchés pour inciter les Indiens à se mettre en guerre. Dans le premier cas, Lacombe va de Calgary à Gleichen en locomotive avec la ferme intention de réussir (et il y réussit) à convaincre le chef Crowfoot qu'il devait empêcher les siens de prendre les armes. Ensuite, avec le révérend John McDougall, il va de nouveau au-devant de l'armée pour pacifier les indigènes en révolte.

Calgary a revendiqué Lacombe. Ne s'était-il pas d'ailleurs établi sur un lopin de terre à l'intérieur des limites futures de cette ville? N'avait-il pas fait les plans et dirigé la construction de la maison Lacombe sur un terrain qui serait plus tard dans la ville de Calgary? Ne s'est-il pas retiré ensuite dans cette même maison? Et enfin, n'avait-il pas gagné le coeur des Calgariens? À sa mort en 1916, son corps fut envoyé à Saint-Albert, mais son coeur, lui, n'a jamais quitté la maison Lacombe.

# 2

## FROM CARTIER TO MONTCALM
## — THE RISE OF A NEW COMMUNITY

The French were not the first to lay claim to North America, but in the years after Jacques Cartier entered the St. Lawrence, they became the most agressive of the claimants. Cartier made three trips to the land that would one day be Canada, the first in 1534, 37 years after John Cabot raised the flag of England.

On that voyage, upon which the French claim to Canada was to rest, Cartier brought two ships and 60 men to the St. Lawrence. He landed on the shore of the Gaspé where he erected a 30-foot cross bearing the royal crest of France and an inscription establishing a land claim.

He returned to France after nearly five months away, then sailed again in May, 1535 with three ships bound for a trip up the St. Lawrence. He reached the Indian village of Stadacona, where the city of Quebec would stand, and Hochelaga, the forerunner of Montreal. At Stadacona, Cartier and his party endured the first Canadian winter experience by Europeans, a winter made more distressing by scurvy and several deaths.

Cartier's third trip was delayed several years because of war, but the notion of a colony had been born, and in 1541, he sailed for the St. Lawrence with five ships carrying a few men and women willing to make new homes. Their numbers had to be fleshed out with recruits from French prisons, but France was the first overseas country with a permanent settlement in prospect.

The French, through Cartier, were aware of the good fishing in waters off the east coast and sensed the opportunity of the fur trade. With a colony, it would be possible to make a good claim upon both resources and territory.

# 2

## DE CARTIER À MONTCALM — LA NAISSANCE D'UNE NOUVELLE COMMUNAUTÉ

Les Français n'étaient pas les premiers à faire valoir leurs droits sur l'Amérique du Nord, mais, dès l'arrivée de Jacques Cartier sur les rives du Saint-Laurent, ils s'établissent d'emblée comme les prétendants les plus acharnés. Cartier s'est aventuré à trois reprises dans ce qui deviendra le Canada, la première fois en 1534, 37 ans après que John Cabot y eut planté le drapeau de l'Angleterre.

Pour ce voyage qui permet aux Français d'établir leurs droits sur le territoire canadien, Cartier dispose en tout de deux navires et de soixante hommes. C'est sur les côtes de Gaspé qu'il débarque alors; il y plante une croix de 30 pieds de haut ornée des armoiries du roi et d'une inscription revendiquant ce territoire pour la France.

De retour en France après un voyage de près de cinq mois, il repart en mai 1535 avec trois navires, et cette fois, il remonte le Saint-Laurent. Il découvre le village indien de Stadacona, site de la future ville de Québec, et celui d'Hochelaga, qui deviendra plus tard Montréal. C'est à Stadacona que Cartier et ses hommes ont subi leur premier hiver canadien, saison d'autant plus rude qu'elle leur apporte le scorbut et à plusieurs d'entre eux, la mort.

Le troisième voyage de Cartier est retardé de plusieurs années par la guerre, mais l'idée de fonder une colonie est née. Ainsi, en 1541, fait-il voile vers le Saint-Laurent avec cinq navires ayant à leur bord un petit nombre d'hommes et de femmes prêts à s'établir dans le pays. On avait dû augmenter leurs effectifs par des hommes recrutés dans les prisons françaises, mais ce contingent garantit à la France d'être le premier pays européen à établir une colonie permanente.

The next key figure in the history of the new land was Samuel de Champlain, known as the father of New France. In 1608, with Sieur de Monts who had been awarded a fur trade monopoly, he made his second trip to New France, taking a party of colonists to Acadia — later Nova Scotia. The expedition, after a futile attempt to settle a small island in the St. Croix River between New Brunswick and Maine, resulted in a colony at Port Royal, in the southern part of Acadia. Now Annapolis Royal, it is the oldest settled community in Canada.

### Louis Hébert is Canada's First "Genuine" Farmer

A few years later, Champlain went on to Stadacona where he established the colony that became Quebec City. He became friendly with the Huron Indians — perhaps too friendly, because it was impossible to be on good terms with the Hurons and their Iroquois enemies at the same time. The French and their fur trade were to suffer badly at Iroquois hands in the years that followed.

Although the death in 1610 of Henry IV of France, Champlain's benefactor, raised fears for the future of the colony, Champlain was asking support in other quarters, including the church. The Recollet Order came in 1615 and the Jesuits in 1625. A few settlers determined to farm also appeared, among them Louis Hébert who arrived in 1617 and whose modest performance entitled him to the distinction of being Canada's first genuine farmer.

But Champlain, in 1629, found himself at the centre of the first of a long series of conflicts between English and French. Unexpectedly, three English warships appeared in the St. Lawrence and Quebec City was taken with relative ease. Champlain, a prisoner, was sent to England and then allowed to go to France. Three years later, however, French power was restored and Champlain returned as governor of the struggling colony, bringing with him new hopeful settlers. He remained only briefly before returning to France where he died in 1635.

The colony was growing, but slowly. Population totalled only 76 in 1629 and 300 in 1641. Montreal, as Ville Marie,

Grâce à Cartier, les Français savaient que la pêche était bonne au large de la côte est et ils pressentaient aussi l'avenir prospère de la traite des fourrures. Or, une colonie leur permettrait de faire valoir leurs droits à la fois sur le territoire et sur ses ressources.

Samuel de Champlain, surnommé "le père de la Nouvelle-France", est le deuxième personnage de marque de cette nouvelle terre. En 1604, en compagnie du sieur de Monts à qui on avait octroyé le monopole du commerce des fourrures, Champlain accomplit son second voyage en Nouvelle-France, emmenant un groupe de colons pour l'Acadie, appelée plus tard la Nouvelle-Écosse. Après une tentative manquée de s'établir sur une petite île de la rivière Sainte-Croix, entre le Nouveau-Brunswick et le Maine, ils fondent Port-Royal dans la région méridionale de l'Acadie. Sous le nom actuel d'Annapolis Royal, c'est la plus ancienne communauté fondée au Canada.

### Hébert: premier véritable fermier au Canada

Quelques années plus tard, Champlain continue vers Stadacona où il établit la colonie devenue par la suite la ville de Québec. Il entretient avec les Hurons des relations amicales, trop amicales peut-être, car il n'est guère possible d'être en bons termes à la fois avec les Hurons et avec leurs ennemis les Iroquois. Cette amitié devait nuire durant des années aux Français et à leur commerce de fourrures.

En 1610, la mort d'Henri IV, protecteur de Champlain, soulève des inquiétudes quant à l'avenir de la colonie. Champlain obtient cependant d'autres appuis, y compris celui de l'Église: les Pères Récollets arrivent en 1615, suivis dix ans plus tard des Jésuites. Viennent aussi des colons bien décidés à cultiver la terre; parmi ceux-ci, il y a Louis Hébert, arrivé en 1617. Ses modestes succès lui valent d'être connu comme le premier véritable fermier canadien.

Mais voilà que, dès 1629, Champlain se trouve mêlé au premier d'une série de conflits opposant Français et Anglais. Un jour, trois navires de guerre anglais apparaissent à l'improviste sur le Saint-Laurent et la ville de Québec est prise sans grande opposition. Champlain, fait prisonnier, est envoyé en Angleterre d'où on lui permet de regagner la

began in 1642 to become something more than an Indian village, but the menace of Iroquois attack continued.

It was 1690 before the French, under Governor Frontenac, achieved a measure of success in dealing with the Iroquois. But the three war parties he launched to do it brought the English to a new determination that they must work harder to destroy the North America power of France.

## Empire Building Brought Conflict

With the fur trade declining and population growing, both sides needed more territory. On the French side was the discoverer René Robert Cavelier de la Salle, who came from France in 1667 to settle a few miles above Montreal. His travels took him west and south to explore the Ohio River and Lake Michigan and, his attention drawn by the Illinois River and adjacent countryside, he caught a vision of another French colony. La Salle went on to follow the Mississippi River to its mouth, taking possession of the valley in the name of Louis XIV and calling the area Louisiana.

Clearly, it was his spirit of empire building that brought France and England into conflict. When the two countries engaged in war in 1689, the North American struggle was immediately intensified, both in the east and on Hudson Bay. Forts built by the Hudson's Bay Company were captured and recaptured until 1713 when France, by the Treaty of Utrecht, surrendered all claim to Hudson Bay, Acadia and Newfoundland. The surrender was formal and official, but it did not end reprisals from the St. Lawrence.

With growing population and a way of farming that ensured some security, New France was becoming more attractive to would-be settlers. But, although the Iroquois menace subsided, there were still recurring clashes with the English, particularly on Hudson Bay and in Acadia. What was known as King William's War, from 1689 to the Peace of Ryswick in 1697, led to naval battles on Hudson Bay and hostilities were aggravated by Indian alliances and by fur trade pressures in the East. A few years later, in the War of the Spanish Succession, the French and their Huron allies raided New England and New Englanders retaliated.

Near the end of the war, the English took Port Royal in

France. Ce n'est que trois ans plus tard que les Français reprennent le dessus. Champlain, accompagné de colons enthousiastes, revient alors en tant que gouverneur de cette colonie encore précaire. Il n'y demeurera d'ailleurs que peu de temps avant de rentrer en France, où il meurt en 1635.

La colonie, elle, se développe, bien que lentement: la population totale n'est que de 76 habitants en 1628 et de 300 en 1641. Montréal, Ville-Marie à l'époque, commence seulement, vers 1642, à devenir plus qu'un village indien, et même alors, une attaque des Iroquois est toujours à craindre. Ce n'est qu'en 1690, sous le commandement du gouverneur Frontenac, que les Français remportent enfin un certain succès dans leur lutte contre ceux-ci. En revanche, les trois expéditions que Frontenac monte pour parvenir à ses fins, finissent par convaincre les Anglais qu'il leur faut à tout prix anéantir la puissance des Français en Amérique du Nord.

## On ne fonde pas un empire sans lutte

Avec, à la fois, le déclin du commerce des fourrures et la croissance de la population, la France ainsi que l'Angleterre ont besoin de plus en plus de territoire. Du côté français, il y a l'explorateur René Robert Cavalier de la Salle qui, venu de France en 1667, arrive à quelques milles en amont de Montréal. Ses voyages le conduisent vers l'ouest et le sud, où il explore la rivière Ohio et le lac Michigan. Séduit par l'Illinois et sa belle vallée, il envisage d'y fonder un jour une nouvelle colonie française. De là, il descend le Mississippi jusqu'à son embouchure, et, au nom de Louis XIV, il prend possession de la région explorée qu'il appelle Louisiane.

C'est sans aucun doute cet esprit d'impérialisme qui finit par opposer la France et l'Angleterre. En effet, lorsqu'en 1689, la guerre éclate entre les deux pays, la lutte en Amérique redouble d'intensité surtout à l'est et sur la baie d'Hudson. Les forts construits par la Compagnie de la Baie d'Hudson sont pris et repris jusqu'en 1713, date à laquelle la France renonce, par le traité d'Utrecht, à toute prétention sur la baie d'Hudson, l'Acadie et Terre-Neuve. Mais cet abandon, bien que ratifié et officiel, ne met pas fin pour autant aux représailles des Français.

La population croissante et des méthodes de culture

Acadia, renaming it Annapolis Royal to honor Queen Anne. Under the Treaty of Utrecht, the French retired from Hudson Bay and surrendered Newfoundland and Acadia. However, they built the mighty Fort Louisbourg in Cape Breton. The Acadian French of Nova Scotia might have moved there, but they were reluctant to leave their homes and farms. Years later, with war looming again, the British notified the Acadians that they must take the oath of allegiance to George II. The Acadians refused despite British threats that they would lose their homes, and in 1755 the British began to evict them, driving them out of Acadia.

### Periods of Peace Only Intermissions

Britain and France had been at war so much that periods of peace appeared like intermissions. The Treaty of Aix-La-Chapelle, which brought the War of the Austrian Succession to a close in 1748, was seen as little more than a truce to allow the principals to prepare for the next engagement, a contest increasingly fuelled by different lifestyles and religions as well as by continuing penetrations of the continent by both sides.

The Seven Years' War, 1756-1763, was a contest of World War proportions, fought on three continents and destined to determine which power would rule North America. In the New World, the French were the first to prepare by sending the Marquis de Montcalm to Quebec with two regiments. Arriving in the spring of 1756, he captured Britain's Fort Oswego at the southeastern corner of Lake Ontario, seizing control of the lake and making way for a drive into the coveted upper Ohio River Valley. In 1757, he captured Fort William Henry at the head of Lake George.

One triumph followed another. Montcalm's greatest success came the following July when he and about 3,000 men held Fort Ticonderoga against Gen. James Abercrombie and 15,000 British troops, although the French victory was attributed to Abercrombie's errors as much as to Montcalm's brilliance. The 46-year-old French officer was beginning to look invincible.

But the tide of war was changing. William Pitt became the British Minister of War, bringing muscle and imagina-

moins aléatoires attirent de nouveaux pionniers en Nouvelle-France. Cependant, alors que diminue la menace iroquoise, des heurts avec les Anglais se produisent encore, particulièrement dans la baie d'Hudson et en Acadie. La guerre dite "du Roi Guillaume" qui dure de 1689 à 1697 (paix de Ryswick), entraîne des batailles navales dans la baie d'Hudson ainsi que certaines hostilités, aggravées par les alliances indiennes et la concurrence des marchands de fourrures de l'Est. Quelques années plus tard, pendant la guerre de la Succession d'Espagne, les Français et leurs alliés hurons pillent la Nouvelle-Angleterre dont les habitants ne manquent pas de se venger à leur tour.

Vers la fin de la guerre, les Anglais s'emparent de Port-Royal en Acadie, le nommant Annapolis Royal en l'honneur de la reine Anne. Par le traité d'Utrecht, les Français se retirent de la baie d'Hudson et renoncent à Terre-Neuve et à l'Acadie. Ils construisent cependant le puissant fort Louisbourg au Cap-Breton. Les Franco-Acadiens de la Nouvelle-Écosse auraient pu s'y réfugier, mais ils hésitaient à abandonner fermes et maisons. Bien plus tard, une nouvelle guerre paraissant inévitable, les Anglais font savoir aux Acadiens que ces derniers doivent prêter serment de fidélité à Georges II. Les Acadiens, bien que menacés par les Anglais de perdre leurs demeures, s'y refusent et en 1755, ils se font expulser de l'Acadie.

## Trêves intermittentes

La Grande-Bretagne et la France ont si longtemps été en guerre que les trêves ressemblaient plutôt à des accalmies. En 1748, le traité d'Aix-la-Chapelle qui met fin à la guerre de la Succession d'Autriche, n'est tout au plus qu'une courte trêve pour ces deux forces ennemies qui préparent le prochain affrontement. La rivalité ne fait que s'accroître tant en raison des différences de style de vie et de religion qu'en raison de leurs avances respectives dans le nouveau continent.

La guerre de Sept Ans (1756-1763) atteint les dimensions d'une guerre mondiale puisqu'elle se déroule sur trois continents à la fois et doit décider de la force dominante en Amérique du Nord. Au Nouveau-Monde, les Français sont

tion to a strategy of striking hard at the French colonies overseas while keeping France fully engaged in Europe.

The single British success came in 1758 at Louisbourg, where a brilliant young brigadier, James Wolfe, won his first public acclaim on the North American scene. Pitt planned drives on Fort Niagara, Quebec City and Montreal for 1759 and, when the first of these campaigns resulted in the British capture of Niagara, Montcalm, undermanned, fell back on Quebec City. There, he believed, he could make his best defence against the major attack he had reason to expect.

In this expectation, he was correct. Pitt knew he had to win the St. Lawrence strongholds and he was prepared to give the campaign his best support. He felt that the French had had better leadership in North America and he was determined to choose officers with special care. Ignoring the advice of senior men around him, he recalled the capture of Louisbourg, promoted the 32-year-old James Wolfe to acting major-general and appointed him to lead the drive on Quebec City.

In June 1759, 40 British ships carrying 9,000 soldiers entered the St. Lawrence as the first evidence of army and navy cooperation appeared. Wolfe landed on the Island of Orleans where he had an unobstructed view of Quebec City, the "cradle of New France", situated on cliffs 200 feet above the river.

Shortening September days reminded him that he had to act quickly or be forced to retreat before the onslaught of the winter. Wolfe noticed a cove at which a small stream entered the river, just above Quebec City. That point, he decided, would serve his purpose.

As darkness fell on the night of September 12, soldiers moved onto ships which would pass silently upstream in the shadows, there to await the signal to row to the north side. A single ship with one light at its masthead was anchored at mid-point in the river. When a second light appeared on the ship at 2 a.m., the boats crossed quietly and then drifted with the silent current to Sillery Point, where the men climbed the rocky slope.

les premiers à se préparer en envoyant à Québec le marquis de Montcalm à la tête de deux régiments. À son arrivée, au printemps de 1756, il s'empare presque aussitôt du fort Oswego au sud-est du lac Ontario, prenant ainsi le contrôle du lac et s'assurant également un passage jusque dans la vallée de l'Ohio. En 1757, Montcalm capture le fort William Henry, situé à la pointe supérieure du lac.

Pour Montcalm, les victoires se succèdent, la plus marquante ayant lieu l'année suivante, en juillet, lorsqu'à Fort Ticonderoga, lui et ses 3,800 hommes parviennent à tenir tête au général James Abercrombie et ses 15,000 soldats. Il est vrai qu'on a attribué cette victoire française autant aux erreurs d'Abercrombie qu'au génie de Montcalm. Quoi qu'il en soit, l'officier français âgé de 46 ans commence à paraître invincible.

Mais le cours de la guerre change. Lorsque William Pitt devient ministre de la Guerre en Angleterre, la tactique anglaise va se faire à la fois plus musclée et plus astucieuse, Pitt voulant assener un coup fatal aux colonies françaises d'outre-mer tout en maintenant la France pleinement engagée en Europe.

En 1758, la grande victoire de Louisbourg marque l'entrée éblouissante sur la scène nord-américaine du jeune brigadier anglais James Wolfe. Pitt projette de conquérir Fort Niagara, puis les villes de Québec et de Montréal en 1759, et lorsque la première de ces campagnes aboutit effectivement à la prise du fort Niagara, Montcalm, alors démuni d'hommes, se replie sur la ville de Québec. Il pense pouvoir y préparer une meilleure contre-offensive à l'attaque majeure qui est imminente.

En effet, Pitt sait qu'il lui faut remporter les places fortes du Saint-Laurent et il est prêt à soutenir au maximum cette campagne. À son avis, si les Français ont dominé en Amérique du Nord, c'est grâce à la supériorité du commandement; il est donc fermement décidé à choisir ses officiers avec soin. Faisant fi des conseils des vétérans de son entourage, il se rappelle la prise de Louisbourg: à 32 ans, James Wolfe est promu au grade de major général et se voit confier le commandement de l'expédition devant donner l'assaut à la ville de Québec.

### Bayonets and Swords were Devastating

By sunrise, more than 4,000 British soldiers had established battle formation on the plateau known as the Plains of Abraham. Montcalm was shocked at the news. The continued presence of warships below the Beauport shore had led him to expect the attempted scaling to be in that region. Now, though, he had to act. Although undermanned, he ordered his troops to the Beauport side to the Plains, hoping for some added strength from soldiers under the governor's command. The reinforcements never materialised, but Montcalm attacked.

Wolfe ordered his men to allow the French to approach to close range, perhaps 40 yards, then fire, reload and charge. The British guns checked the French advance and the British bayonets and swords were devastating. The French line broke and Wolfe's men pursued. The outcome was not long in doubt.

But losses were heavy on both sides. Wolfe, twice wounded, died on the field, but not before he knew he had won. Montcalm, too, was mortally wounded. Realising that his wounds were serious, he asked:

"How long will I live?"

Somebody, apparently was frank enough to tell him,

"Not long,"

To which he replied,

"I hope it will not be long. I do not want to see the surrender."

The Treaty of Paris, signed in 1763, confirmed the French forfeiture of claim to Canada, Cape Breton and the coastal islands, except Miquelon and St. Pierre. For about 75,000 French citizens, the change would be difficult, even painful, but it could have been worse — British policy sought to achieve the least possible dislocation of their way of life. The new leaders were much aware of the Quebec individuality and the case for preserving it. The principle was acknowledged most clearly in the Quebec Act of 1774, legislation described by some as "The Magna Carta of French Canada".

By its terms, Quebec's boundaries were extended to the northeast and far enough into the west to include territory between the Ohio and Mississippi Rivers. In law, there

En juin 1759, 40 navires anglais entrent dans le Saint-Laurent avec 9,000 hommes à leur bord; c'est la première fois que coopèrent l'armée de terre et la marine. Wolfe débarque sur l'île d'Orléans d'où, à 200 pieds au-dessus du fleuve, il a une vue parfaite du "berceau de la Nouvelle-France".

Les journées de septembre se faisant plus courtes, Wolfe comprend qu'il lui faut agir vite, avant que les rigueurs de l'hiver ne forcent sa retraite. Il repère une anse par laquelle un faible courant arrive au fleuve, juste en amont de la ville de Québec. Il décide d'en faire une base stratégique. Le 12 septembre, à la tombée de la nuit, les soldats embarquent sur des bateaux qui doivent remonter silencieusement le fleuve dans l'obscurité, puis y attendre le signal pour aller vers le nord. Un seul navire avec une lampe allumée en haut du grand mât a jeté l'ancre au milieu du fleuve. Lorsqu'une deuxième lumière apparaît sur le navire, à 2 heures du matin, les bateaux traversent sans bruit puis se laissent pousser par le courant jusqu'au "Sillery Point" où les hommes escaladent la falaise.

### Épées et baïonnettes font des ravages

À l'aube, plus de 4,000 hommes sont en position de combat sur les Plaines d'Abraham. Montcalm est sidéré; il pensait, en voyant la présence continuelle des navires de guerre sous la côte de Beauport, que l'attaque se ferait dans ces environs. Mais il lui faut agir sur-le-champ. Bien qu'à court d'hommes, il ordonne à ses troupes de quitter Beauport pour occuper les plaines, comptant sur l'aide de soldats sous le commandement du gouverneur. Les renforts ne se manifestent pas et Montcalm passe à l'attaque.

Wolfe commande à ses hommes de laisser approcher le plus possible les Français jusqu'à environ 40 verges puis de faire feu, de recharger les armes et de charger l'ennemi. Le feu stoppe l'offensive française et c'est alors que les épées et les baïonnettes font rage. Les rangs des Français se rompent et les soldats de Wolfe se lancent à leur poursuite. L'issue du combat ne laisse plus de doute.

Les pertes sont cependant très lourdes des deux côtés. Wolfe, deux fois blessé, meurt sur le champ de bataille, mais pas avant de savoir qu'il est vainqueur. Montcalm, lui aussi,

would be compromise, civil suits to be heard under French law and criminal cases under English. The time-honored seigneurial system of allocating and administering land would continue to be recognised, and there would be an appointed legislative council with both French and British members. There would be religious freedom.

As for the British northwest, better known as Rupert's Land — still, in theory at least, a private preserve of the Hudson's Bay Company — the situation changed only slightly. Most of the French fur traders had left the Saskatchewan River prior to 1759 and did not return.

The Hudson's Bay Company was relieved to be free once again of the menacing French competition which had begun in the great bay itself. But it was a brief respite because New England and Scottish merchants and adventurers moved into Montreal almost immediately with clear designs upon the fur trade of the West. They hoped to benefit from French experience and draw upon the immense resource of French Canadian voyageurs to solve the problem of transportation.


### Invaders Failed to Gain Support

Known as the "Pedlars", the new breed of traders built squarely upon the foundation laid by the French and moved quickly into the temporarily unoccupied area of the West. Their activities led to the birth of the powerful North West Company, with headquarters at Montreal and posts reaching all the way to the Pacific.

Twelve years after the signing of the Treaty of Paris, while a war for independence was in progress in the more southerly colonies, some of the revolutionary patriots saw fit to invade French Canada in the hope of winning the area to the side of the revolution. The invaders took Montreal and went on to Quebec, but failed to find the support they expected. France might side with the American revolutionaries, as it did by treaty in 1778, but the North American French showed no will to go with the protesting colonies. It was soon found, with the division of Canada into Upper and Lower Canada in 1791, that they were afforded a measure of

est mortellement blessé. Conscient de la gravité de ses blessures, il demande: "Combien de temps me reste-t-il à vivre?" "Pas très longtemps" lui répond quelqu'un très franchement. Et Montcalm de répliquer: "J'espère que ce ne sera pas long. Je ne veux pas assister à notre capitulation."

Par le traité de Paris, signé en 1763, la France renonce à tous ses droits sur le Canada, le Cap-Breton, et les îles de la côte, à l'exception de Saint-Pierre et Miquelon. Le changement de régime va être difficile et même douloureux pour les 75,000 citoyens français; pourtant les choses pourraient être pires. La politique anglaise, en effet, vise à changer le moins possible les modes de vie. Les nouveaux dirigeants connaissent l'originalité du Québec et comptent la préserver. Ce principe est très clairement reconnu dans l'Acte de Québec du 1774, document appelé par certains la "Magna Carta du Canada français".

Par cet Acte, le Québec voit s'étendre ses frontières au nord-est et suffisamment à l'ouest pour y inclure la région entre l'Ohio et le Mississippi. En matière de justice, on adopte certains compromis: les affaires civiles relèveront du Code français, mais les affaires criminelles du Code anglais. Le vieux système féodal concernant l'allocation et l'administration des terres sera maintenu et on nommera un comité législatif composé de membres anglais et français. Enfin, la liberté du culte sera garantie.

Quant à la situation du Nord-Ouest anglais, plus connu sous le nom de "Rupert's Land", elle change à peine; le territoire est encore, du moins en théorie, propriété privée de la Compagnie de la Baie d'Hudson. La plupart des marchands de fourrure français ont quitté la rivière Saskatchewan avant 1759, et n'y sont pas revenus.

La Compagnie de la Baie d'Hudson, une fois de plus, est libérée de la compétition française qui avait débuté à l'endroit même de la grande baie. Mais ce répit n'est que de courte durée: les marchands et aventuriers de la Nouvelle-Angleterre et de l'Écosse arrivent à Montréal peu après, résolus à conquérir le commerce des fourrures dans l'Ouest. Ils espèrent tirer profit de l'expérience française et comptent sur le savoir inestimable des voyageurs canadiens-français pour résoudre les problèmes de transport.

self-expression with their own elected assembly. When the first Assembly of Lower Canada met, one of its earliest decisions was to print the Journal of Proceedings in both English and French.

*General James Wolfe*

Connus sous le nom de "colporteurs", les nouveaux commerçants n'hésitent pas à profiter des structures mises en place par les Français, puis s'établissent rapidement dans les régions temporairement inoccupées de l'Ouest. C'est ainsi qu'est née la puissante Compagnie du Nord-Ouest, avec son quartier général à Montréal et toute une série de postes allant jusqu'au Pacifique.

Douze ans après la signature du traité de Paris, alors qu'une guerre d'indépendance se déroule dans les colonies plus au sud, des combattants révolutionnaires jugent opportun d'envahir le Canada français dans l'espoir de gagner cette région à leur cause. Les envahisseurs prennent Montréal et marchent sur Québec mais n'obtiennent pas le soutien escompté. La France pouvait bien soutenir les révolutionnaires américains — elle conclut avec eux un traité en 1778 — mais les Français de l'Amérique du Nord, eux, se montrent peu disposés à aider les colonies contestataires. Dès 1791, année en laquelle le Canada est divisé en deux parties, le Haut-Canada et le Bas-Canada, les Canadiens français comprennent vite qu'ils peuvent s'exprimer librement devant leur propre assemblée élue. À la première session de l'Assemblée du Bas-Canada, on décide immédiatement de publier le "Journal des Procédures" à la fois en anglais et en français.

# 3

## A HUNDRED YEARS OF WAR FOR THE RIGHTS TO THE BAY OF THE NORTH.

The Hudson's Bay Company was born in an English charter more than 300 years ago, but it owed its origin to two Frenchmen, Médard Chouart des Groseilliers and Pierre Esprit Radisson, brothers-in-law and two of the most amazing personalities in Canadian history. No other pair demonstrated such facility in reversing allegiance — French today, English tomorrow, French again the next day. They were not the discoverers of the Bay of the North, but they were the first to sense a practical use for it, underlining their idea by planting a French flag on James Bay in 1662.

The Bay, though, was discovered by Henry Hudson, who sailed from England in 1610. Hudson, seeking a route to the Far East, was said to be carrying letters of introduction to whatever Oriental ruler he might meet there. But, after a winter at the mouth of the Rupert River on James Bay, Hudson's crew mutinied, divided the depleted stock of food and set him, his son and seven others, adrift in a small boat before returning to England.

The next year, another English expedition, under Thomas Button, seeking both Henry Hudson and the Northwest Passage, entered the Bay. Button raised the English flag where he stopped to winter at the mouth of the Nelson River. He found neither Hudson nor the Northwest passage, but now two English claims to the Bay had been established.

Half a century later, Radisson and des Groseilliers arrived at the Bay and went on to introduce "The Governor and Company of Adventurers of England Trading into Hudson's Bay" to the fur trade.

Des Groseilliers, born in France about 1625, was the

# 3

# CENT ANS DE GUERRE POUR LE MONOPOLE DE LA BAIE D'HUDSON

La Compagnie de la Baie d'Hudson est née, il y a plus de 300 ans, d'une Charte anglaise, mais elle doit ses origines à deux Français, Médard Chouart Des Groseilliers et Pierre Esprit Radisson, beaux-frères, et deux des plus étonnants personnages de l'histoire du Canada. Avec une souplesse extraordinaire, ces deux hommes ont su se trouver tantôt du côté français, tantôt du côté anglais, selon leurs besoins et leurs intérêts. Ils n'ont pas été les premiers à en mesurer l'importance. En 1622 ils ont planté le drapeau français à la baie James.

Le premier explorateur de la baie fut Henry Hudson, parti d'Angleterre en 1610. Il cherchait la route de l'Orient et était, disait-on, porteur de lettres d'introduction auprès de tout dirigeant oriental que le hasard voudrait bien placer sur son chemin. Malheureusement, après un hiver passé à l'embouchure de la rivière Rupert à la baie James, son équipage se mutine, fait main basse sur les provisions et regagne l'Angleterre après avoir abandonné Hudson à la dérive sur une barque, avec son fils et sept marins.

L'année suivante, une autre expédition anglaise commandée par Thomas Button, cherchant et Hudson et le passage du Nord-Ouest, pénètre dans la baie. Button y plante le drapeau anglais et s'installe pour passer l'hiver à l'embouchure de la rivière Nelson. Il n'avait trouvé ni Hudson ni le passage, mais c'est ainsi que pour la deuxième fois les Anglais établissaient leurs droits.

Un demi-siècle plus tard, Radisson et Des Groseilliers arrivent à la baie et c'est bien grâce à eux que des Anglais, sous le nom de "Gouverneur et Compagnie des Aventuriers

older and probably the wiser. He came to the St. Lawrence Valley in 1642 and five years later married a daughter of Abraham Martin, on whose land the Battle of the Plains of Abraham would be fought. After the death of his first wife, des Groseilliers married into the family of Radisson, the more vocal and unpredictable of the two.

### Radisson Joined Braves on Warpath

Radisson, born in 1636, came to New France at 15 and lived in Three Rivers one year before he was captured by Iroquois Indians during a hunting expedition. Adopted by an Iroquois family which had lost a son, he eventually joined braves on the warpath, but, after one futile attempt at escape, he finally fled and returned to his home in 1657. By then his sister had married des Groseilliers who had recently returned from a journey to the west in search of furs.

The fur trade, already languishing under the Company of One Hundred Associates, was in a further slump because the friendly Hurons, who were the backbone of the French trade, had been driven back by the Iroquois. If the trade was to be made profitable, the French would have to bring it to the Hurons or persuade the Indians to risk coming to Montreal. In either case, the West posed a challenge to the St. Lawrence fur trade.

Early in 1658, with Radisson on his first trip west and des Groseilliers probably on his second, the two led an expedition from Montreal. They found the Hurons around Georgian Bay, met the Sioux farther west and encountered Crees who spent summers near James Bay. Two years later, they returned to Montreal with a notion of a possible salt water shipping route, as well as canoes loaded with prime pelts. The furs seemed to signal a revival of the fur trade —enough to put the governor on his guard, for when they applied for a licence for a second trip in 1661, they were told it would be granted if two of his servants were allowed to go along and there was a possibility of profit-sharing. Radisson and des Groseilliers would not agree and finally took fourteen canoes west without a licence.

By autumn, they were far to the west, perhaps on the Upper Mississippi, perhaps Lake Winnipeg, perhaps Lake of

d'Angleterre, trafiquant dans la baie d'Hudson", s'initient au commerce des fourrures.

Des Groseilliers, né en France aux environs de 1625, était le plus âgé et probablement le plus avisé des deux. Venu dans la vallée du Saint-Laurent en 1642, il épousait, cinq ans plus tard, l'une des filles d'Abraham Martin, celui à qui appartenaient les terres où devait par la suite se dérouler la bataille des Plaines d'Abraham. Après la mort de sa première femme, il se choisit une seconde compagne dans la famille de Radisson, son compagnon moins timide et plus impulsif.

## Radisson se joint aux Indiens

Radisson, né en 1636, vient en Nouvelle-France à l'âge de 15 ans et vit à Trois-Rivières une année durant, avant d'être capturé par les Iroquois lors d'une expédition de chasse. Adopté par une famille iroquoise qui avait perdu un fils, il combat aux côtés des guerriers de la tribu. Puis, après une première tentative d'évasion manquée, il réussit à s'échapper et retourne chez lui en 1657. Dans l'intervalle, sa soeur s'était mariée avec Des Groseilliers, de retour d'un voyage dans l'Ouest à la recherche de fourrures.

Le commerce des fourrures, déjà languissant sous la direction de la Compagnie des Cent Associés, n'avait cessé de péricliter et cela parce que les Hurons, fournisseurs attitrés des Français, avaient été repoussés par les Iroquois. Pour s'assurer un commerce rentable, il fallait que les Français le confient aux Hurons, ou alors, qu'ils persuadent les Indiens de prendre le risque d'apporter leurs pelleteries à Montréal. Dans les deux cas, l'Ouest restait un obstacle à surmonter pour le commerce des fourrures du Saint-Laurent.

Au début de 1658, Des Groseilliers et Radisson organisent donc une expédition vers l'ouest à partir de Montréal. C'est le premier voyage de Radisson et sans doute le second de Des Groseilliers. Ils rencontrent les Hurons près de la baie Georgienne, les Sioux plus loin vers l'ouest et enfin les Cris auprès de la baie James, où ceux-ci ont l'habitude de passer l'été. Deux ans plus tard, rêvant d'une possibilité de transport par voie maritime, ils rentrent à Montréal dans leur canoës chargés de peaux de première qualité. Ces fourrures apparaissent comme l'augure de la reprise du commerce.

the Woods. Because of Radisson's secretive ways, the exact whereabouts remains uncertain. In any case, it is likely that, during the following summer of 1662, they reached the mouth of the Rupert River on James Bay and there raised the flag of France.

In 1663, they returned to the St. Lawrence, confident that the large stock of skins — filling 300 canoes, according to some writers — coupled with the passage of two years, would bring the governor to overlook their illegal departure. But a change in the way things were run in New France had led to a more rigid system, and the governor, in any case, had not forgotten the pair. Des Groseilliers was arrested and the two were fined a sum representing nearly half the value of their furs. In addition, their proposal to ship furs through the Bay, bypassing Montreal and Quebec, was unacceptable to St. Lawrence interests.

An appeal to the court of Louis XIV in France was unsuccessful, prompting Radisson and des Groseilliers to take the only action that seemed possible — an approach to the English at Boston. Referred to King Charles II by an English official who saw merit in an expedition to the Bay, they emerged with a sponsor in Prince Rupert, who successfully promoted the idea among his aristocratic and wealthy London neighbours. Two ships, the Nonsuch and the Eaglet, would undertake the voyage, with des Groseilliers aboard one and Radisson aboard the other.

The ships sailed in June, 1668, but the Eaglet was forced to turn back in bad weather. The Nonsuch, with des Groseilliers aboard, spent the winter being loaded to the gunwale with fur pelts. Its success inspired the English backers to form "The Governor and Company of Adventurers of England Trading Into Hudson's Bay", and, with Prince Rupert's backing, the Company received a royal charter on May 2, 1670. The Hudson's Bay Company had been born.

A century later, the exclusive terms of the charter were to play a part in an international conflict. Radisson and des Groseilliers, however, had more immediate problems, even though Radisson had married the daughter of one of the Company's backers and the Company recognised an obligation to the pair. They were scarcely of executive calibre and

Cela inquiète le gouverneur et lors de leur demande de laissez-passer en vue d'un second voyage, en 1661, on leur répond que celui-ci leur sera accordé à la condition que deux hommes du gouverneur les accompagnent, et qu'il soit possible de partager les bénéfices. Des Groseilliers et Radisson déclinent cette offre et, sans permis, ils partent vers l'ouest avec 14 canoës.

En automne, ils sont déjà loin dans l'Ouest, soit sur le Haut-Mississippi, soit sur le lac Winnipeg ou encore sur le lac des Bois. On ne peut en être certain car Radisson tenait à ne pas dévoiler son itinéraire. Quoi qu'il en soit, il est probable que, durant l'été de 1662, ils aient atteint l'embouchure de la rivière Rupert sur la baie James où ils plantent le drapeau français.

En 1663, ils reviennent vers le Saint-Laurent persuadés que leur marchandise — entassée dans 300 canoës, selon certains — ainsi que leurs deux années d'absence avaient modifié l'attitude du gouverneur envers leur départ illicite. Mais la Nouvelle-France avait adopté des contrôles plus stricts et de toute façon le gouverneur ne les avait pas du tout oubliés. Des Groseilliers est arrêté et les deux doivent payer une somme représentant presque la moitié de la valeur des fourrures. De plus, leur proposition d'expédier directement les fourrures par la baie, sans passer par Montréal et Québec, paraît inacceptable parce que contraire aux intérêts des marchands du Saint-Laurent.

Après un appel en vain à la France et à Louis XIV, Des Groseilliers et Radisson entreprennent alors la seule démarche possible: prendre contact avec les Anglais à Boston. Leur nom parvient au roi Charles II, grâce à un ambassadeur anglais persuadé du mérite d'une telle expédition à la baie, et c'est ainsi qu'ils obtiennent l'appui du prince Rupert. Celui-ci réussit à intéresser à cette idée de riches aristocrates de son entourage. Deux bateaux, le Nonsuch et le Eaglet, avec Des Groseilliers à bord du premier et Radisson à bord de l'autre, entreprennent donc le voyage.

Les navires partent en juin 1668 mais le Eaglet doit faire demi-tour à cause du mauvais temps. Le Nonsuch, avec Des Groseilliers, passe l'hiver à la baie et se remplit de fourrures. Ce succès incite les commanditaires à former une compagnie

there was a question of how to use them beyond keeping them busy and paying them well. They became discontented and, after a priest arrived in the Bay area from the St. Lawrence — ostensibly to save souls but more likely to win the discoverers back to New France — they returned to France and then to Montreal.

When their first bid for support for a French expedition to the Bay drew no response (Radisson, after all, had a wife in England and a father-in-law in the Company), Radisson left the fur trade for a brief stint in the French navy. A second proposal, to build a new trading post at the mouth of the Nelson River before the Company could, drew the support of a well-to-do merchant, de la Chesnaye, and two ships sailed for the Bay in early 1682.

As it happened, two other expeditions were sailing for the same location at the time; a Company expedition out of London under Zachariah Guillam and a New England venture out of Boston under Benjamin Guillam, Zachariah's son. The Boston ship, first on the scene, anchored at Guillam Island near the mouth of the Hayes River. It was followed by the two French ships, which anchored to build a fort besides the Hayes River, and then the London ship, which stopped at the north side of the mouth of the Nelson River and began to build.

Radisson, declaring his claim to the area, first seized the fort and ship of the younger Guillam. It took a winter of intrigue to deal with the English, who argued that the area had been English since Button's time, but by the following July, holding both Guillams and carrying furs from all three forts, Radisson and des Groseilliers sailed for France. The enemy posts had been burned and des Groseilliers' son had been put in charge of the French fort.

The trip proved to be des Groseilliers' last to the Bay, but Radisson, angered when the authorities in New France released the prisoners, returned Benjamin Guillam's ship and demanded duties on the furs, ended up on the Company payroll again after a visit to his wife in London. Returning to the mouth of the Nelson River, Radisson interrupted his nephew's trade monopoly by loading his stock of furs aboard a Company ship and seeing it off to London.

sous le nom de "Gouverneur et Compagnie des Aventuriers d'Angleterre, trafiquant dans la baie d'Hudson" et, grâce au prince Rupert, une charte royale leur est accordée le 2 mai 1670. C'est ainsi que naît la Compagnie de la Baie d'Hudson.

Un siècle plus tard, les termes exclusifs de la charte allaient jouer un rôle dans des conflits internationaux. Cependant, Radisson et Des Groseilliers avaient des problèmes plus immédiats, malgré le mariage de Radisson avec la fille de l'un des dirigeants de la Compagnie. La Compagnie reconnaissait combien elle devait à Radisson et à Des Groseilliers mais elle ne voulait aucunement leur confier des postes de direction. Elle se bornait donc à les occuper et à bien les payer. Cette situation cesse vite de les satisfaire et quand un prêtre arrive dans la région de la baie, apparemment pour "sauver des âmes" mais sans doute aussi pour les convaincre de revenir en Nouvelle-France, ils repartent avec lui, d'abord vers la France puis vers Montréal.

Leur première tentative de lancer une expédition française échoue (après tout la femme de Radisson était en Angleterre et son beau-père était membre de la Compagnie de la Baie d'Hudson). Radisson délaisse alors le commerce des fourrures pour s'engager brièvement dans la marine française. Une deuxième initiative, celle de fonder un poste de traite à l'embouchure de la rivière Nelson, plaît à un riche marchand de la Chesnaye, et deux navires mettent voile vers la baie en 1682.

Par coïncidence, deux autres expéditions de la Compagnie partaient en même temps: l'une de Londres sous la direction de Zachariah Guillam et l'autre de Boston dirigée par Benjamin Guillam, fils du premier. Le vaisseau de Boston arrive le premier sur les lieux et jette l'ancre à l'île de Guillam près de l'embouchure de la Hayes. Les Français arrivent ensuite et eux aussi jettent l'ancre et commencent des constructions sur les rives de la Hayes. Ensuite arrivent les Anglais de Londres qui, eux, s'arrêtent sur la côte nord de l'embouchure de la Nelson avant de se mettre à construire.

Radisson, revendiquant ses droits, saisit d'abord le fort et le navire du jeune Guillam. Tout l'hiver se passe en pourparlers avec les Anglais pour qui cette région est anglaise depuis l'époque de Button. Mais en juillet de l'année sui-

Des Groseilliers retired to Three Rivers where he died, while Radisson left the Bay for good in 1684 returning to England for an introduction to the king and a bigger gratuity than he could ever find in New France. About the time he left, the Company was building another post near the mouth of the Nelson, on the north side of Hayes. Destined to become a kind of capital of the fur trade, the post, York Factory, was built on what stands today as the oldest settled community in Manitoba. Radisson is remembered in the name of a Saskatchewan town between Saskatoon and North Battleford.

### Military Muscle Flexed Once Again

A century of conflict over the Bay followed Radisson's departure from the area in 1682. Whoever controlled the Bay could control the rich fur forests and the vast country beyond, and, while the English insisted that Hudson and Button had established their claim, the French argued that New France, with acknowledged control of the St. Lawrence Valley, had never been confined by boundaries. Their claim, they argued, extended to the shores of Hudson's Bay and James Bay, where Radisson and des Groseilliers had raised their flag in 1662.

In 1686, four years after Radisson's last display of muscle, the French mounted a military expedition under the brilliant Pierre Chevalier de Troyes and his navy-trained lieutenant, Pierre le Moyne d'Iberville. An army of 30 regular soldiers and 70 volunteers set out during winter along the Ottawa River overland to Moose River and down to James Bay, where it easily captured the English fort in a short, surprise attack. The French flag was raised and the post renamed St. Louis.

De Troyes and his army took prisoners and moved east to the mouth of the Rupert, where they not only seized the first fort built by the Company — which they renamed Fort St. Jacques — but also captured the English ship, the Craven. Although de Troyes expected a long siege at the third English post, Fort Albany, he took it in two days and renamed it Fort Ste. Anne, putting these three Company posts of the

vante, Radisson et Des Groseilliers, ayant capturé les deux Guillam, repartent pour la France, emportant les marchandises des trois forts. Les postes ennemis avaient été détruits et le fils de Des Groseilliers avait la charge du fort français.

C'est le dernier voyage de Des Groseilliers à la baie, mais Radisson, mécontent de voir que les autorités de la Nouvelle-France ont relâché les prisonniers, rend aux Anglais le bateau de Boston et fait payer des droits sur les fourrures, finit par se mettre encore une fois au service de la Compagnie de la Baie d'Hudson, à l'issue d'une visite à sa femme à Londres. De retour dans l'embouchure de la Nelson, Radisson met fin au monopole de son neveu en faisant charger son stock de fourrures à bord du navire anglais qu'il ramène ensuite à Londres.

Des Groseilliers se retire à Trois-Rivières où il finit ses jours. Quant à Radisson, il quitte définitivement la baie en 1684 et rentre en Angleterre pour être présenté au roi et recevoir des honneurs qu'il n'aurait jamais connus en Nouvelle-France. À l'époque où il part, la Compagnie faisait construire un autre poste près de l'embouchure de la Nelson au nord de la Hayes: York Factory. Ce poste, devenu plus tard une sorte de capitale de la fourrure, a été bâti sur le site de la plus ancienne communauté encore habitée du Manitoba. Radisson a laissé son nom à une ville de la Saskatchewan entre North Battleford et Saskatoon.

### La force militaire prévaut

Le départ définitif de la baie de Radisson, en 1682, est suivi d'un siècle de guerre. Du contrôle de la baie dépendait celui de la traite des fourrures ainsi que de celui de vastes territoires. Les Anglais prétendaient que Button et Hudson avaient revendiqué la région et les Français de leur côté, répliquaient que la Nouvelle-France, fondée dans la vallée du Saint-Laurent, ne connaissait pas de frontières et qu'elle s'étendait jusqu'aux côtes de la baie James et de la baie d'Hudson où Des Groseilliers et Radisson avaient planté le drapeau français en 1662.

En 1686, quatre ans après la dernière manifestation de résistance par Radisson, les Français mettent sur pied une expédition militaire sous le brillant commandement de

Bay into French hands. De Troyes returned to New France and d'Iberville followed a year later.

### The Stage was Set for Big Naval Battle

Despite complicated treaty negotiations and an investigating committee which decided that the Company should have two posts and the French two, the posts remained French until 1693. D'Iberville successfully defended Fort Albany from an assault by two English ships in 1689 and in 1690, with three ships furnished by the Compagnie du Nord, he burned the New Severn fort after being beaten back at York.

But 1693 belonged to the English, who sent four ships, 213 men and 82 guns under James Knight. Equipped with food and supplies to last two years, the English systematically took one fort after the other on James Bay, completely clearing the French from the region. D'Iberville, however, took York Factory the next year, forcing the surrender of Governor Thomas Walsh and 50 men, among them Henry Kelsey, newly returned from an expedition into the prairie interior.

Two English warships took York back from the French two years later, in 1696, setting the stage for the biggest naval battle in the fight for the Bay and the biggest ever in Canadian waters.

For the French, d'Iberville returned to the Bay at the head of a French fleet comprised of the Pélican, the Profond, the Palmier and the Vespé. The English, anticipating an attack, ordered the warship Hampshire and two armed merchant ships, the Dering and the Hudson's Bay, to stand by at York. The French ships were the first to enter the Hudson's Strait, with the English only a couple of days behind. But neither side knew enemy ships were so close, until the French ships encountered heavy ice and became separated in fog. When the fog lifted, the English ships spotted and identified the Profond, which carried essential munitions, and opened fire.

In maneuvering or fleeing, the Profond appeared to become hopelessly caught in ice — so hopelessly that the English finally decided that only ice was keeping it from

Pierre Chevalier de Troyes et de son lieutenant Pierre Le Moyne d'Iberville. Une troupe de 30 soldats et de 70 volontaires part durant l'hiver, longeant la vallée de l'Ottawa jusqu'à la rivière Moose et finalement la baie James où ils attaquent par surprise et prennent sans mal le fort anglais. Le drapeau français y est à nouveau planté et le fort rebaptisé Saint-Louis.

De Troyes et son armée font des prisonniers et vont à l'est jusqu'à l'embouchure de la Rupert où ils prennent non seulement le premier fort bâti par la Compagnie, qu'ils appellent Saint-Jacques, mais aussi le vaisseau anglais Craven. De Troyes qui s'attendait à un long siège du troisième fort anglais, fort Albany, s'en saisit en deux jours et le rebaptise Sainte-Anne. Les trois forts anglais du sud de la baie se retrouvent ainsi aux mains des Français. De Troyes retourne alors en Nouvelle-France, suivi de d'Iberville un an plus tard.

## La grande bataille navale

Malgré des traités de négociations très complexes et des comités d'enquête décidant que deux forts seront français et les deux autres anglais, les quatre forts restent français jusqu'en 1693. D'Iberville défend avec succès Fort Albany contre deux attaques anglaises en 1689 et, en 1690, à l'aide de trois navires fournis par la Compagnie du Nord, il brûle le nouveau fort Severn après avoir été repoussé à York.

Mais 1693 est l'année faste des Anglais. Ils arrivent sous la direction de James Knight avec quatre vaisseaux, 213 hommes et 82 canons. Suffisamment équipés pour deux ans, les Anglais reprennent l'un après l'autre les forts de la baie James, chassant tous les Français de la région. Pourtant, l'année suivante, d'Iberville prend Fort Factory et force le gouverneur Thomas Walsh à se rendre ainsi que 50 hommes, dont Henry Kelsey, à peine de retour d'une expédition dans les prairies.

Deux navires de guerre anglais reprennent Fort Factory deux ans plus tard, en 1696, et ceci est le point de départ de la plus grande bataille navale qui ait jamais eu lieu dans les eaux canadiennes.

Les Français, sous le commandement de d'Iberville reviennent à la baie avec une flotte comprenant le Pélican, le

sinking and sailed on towards York, still unaware of three other French ships. Aboard the Pélican, d'Iberville finally got free of ice and, presuming his other ships were ahead of him, sailed on to the southwest in hopes of overtaking them. Actually, his three supporting ships were behind him and eventually regrouped as a trio, heading for the mouth of the Churchill to make repairs to the Profond.

D'Iberville finally sighted three large ships riding at anchor as he neared York, realising too late that they were not his own missing crafts. With one ship against three, he had to flee or fight — and he was not one to flee. The battle lasted four hours in rough seas with the English ships surrounding the Pélican and pounding gunfire at it while sailors unsuccessfully tried to board it.

Then the unexpected happened: the Hampshire's guns went silent and the ship turned over and sank (with 290 men), presumably from a Pélican broadside.

Panic must have seized the English because the Hudson's Bay and its 190 men surrendered while the Dering took refuge in the Nelson estuary. Although d'Iberville was not clear of trouble yet — a sudden blizzard cost him two ships and 28 men almost immediately — it was a clear victory. The three other French ships appeared as the storm eased and helped take York again, and only Fort Albany remained a Company post on the Bay.

The engagement was one of the last before the Peace of Ryswick brought a brief cessation of hostilities. But the War of the Spanish Succession saw another French bid for Albany in a 100-man attack, much like the onslaught of 1686. This time the English held on, although it took the Treaty of Utrecht in 1713 to force France to yield its claim to the Bay and make it a "Hudson's Bay Company Sea".

Nearly 70 years after the Treaty of Utrecht was signed, the French proved still reluctant to give up their claim to the Bay. Some citizens of New France argued that the territory they occupied beside the St. Lawrence River extended without boundaries to the coastline of the Bay and they could not in justice be excluded from trading there, particularly on the eastern and southern sides of the Bay.

In this, they had a case. Even the Hudson's Bay Com-

Profond, le Palmier et le Vespe. Les Anglais, prévoyant une attaque, ont ordonné au bateau de guerre, le Hamsphire, et à deux navires marchands équipés pour le combat, le Dering et le Hudson, de monter la garde à York. Les Français entrent les premiers dans le détroit de l'Hudson mais les Anglais ne sont qu'à deux jours de route derrière eux. Ni les uns ni les autres ne soupçonnent la proximité de l'ennemi avant que la glace et le brouillard ne séparent les bateaux français. Quand le brouillard se dissipe, les Anglais repèrent et reconnaissent le Profond, navire chargé du gros des munitions, et ils ouvrent le feu.

Il semble que le Profond, en essayant de manoeuvrer ou de fuir, se soit pris dans la glace, au point que les Anglais jugent que seule la glace l'empêche de sombrer; alors ils continuent vers York, tout en ignorant la présence des trois autres vaisseaux français. À bord du Pélican, d'Iberville finit par se libérer de la glace et, supposant que les trois autres vaisseaux l'ont devancé, poursuit sa route vers le sud-ouest dans l'espoir de les rattraper. En fait, ils sont encore derrière lui et se sont regroupés à l'embouchure du Churchill pour réparer le Profond.

D'Iberville, s'approchant de York, aperçoit enfin trois grands navires à l'ancre et pense qu'il s'agit des siens; quand il s'aperçoit de sa méprise, il est déjà trop tard. À un contre trois, il doit soit prendre la fuite, soit livrer bataille et il n'est pas de ceux qui prennent la fuite. La bataille dure quatre heures, dans une mer agitée; les Anglais cernent le Pélican, faisant feu sans relâche, tandis que des marins tentent en vain de monter à bord.

À ce moment, il se passe une chose inouïe: soudain, les canons du Hampshire se taisent, le navire se retourne et sombre (avec 290 hommes à son bord), sans doute touché au flanc par un coup de canon en provenance du Pélican.

La panique a dû s'emparer alors des Anglais puisque le Hudson et ses 190 hommes se rendent tandis que le Dering cherche refuge dans l'estuaire de la Nelson. C'est une grande victoire pour d'Iberville qui va par ailleurs essuyer de sérieux revers — une brusque tempête lui coûtera peu après deux bateaux et 28 hommes. Les trois autres navires français entrent en scène alors que la tempête se calme et tous

pany Charter on which the English based their claim to a trade monopoly left a loophole. The Charter confirmed "...unto the said Governor and Company and their successors the sole trade and commerce of all those seas, straights, bays, rivers, lakes, creeks and sounds in whatsoever latitude they lie within the entrance of the Straight commonly called Hudson's Straight, together with all the lands and territories upon the countries, coast, confines of the seas, bays, lakes, rivers, creeks and sounds aforesaid" — and then the loophole — "that are not now actually possessed by our subjects or the subjects of any other Christian Prince or state."

## The Last Word in an Old Dispute

Were the French not subjects of another "Christian Prince or State"?

On August 6, 1782, a century almost to the day after Radisson and des Groseilliers had returned to the Bay to assert a French claim, Admiral Jean Franois la Pérouse led three warships in an expedition which easily captured, what must have been, one of the most stoutly built forts in the Western world. The attack, coming nineteen years after the signing of the Treaty of Paris while the British were battling insurgent American colonists, does not lend itself to easy explanation, although France had declared full support for the colonists in 1778. Sentiment would explain something. But what of practical value could be gained by three French warships going so far out — and out of any existing war zone — to make an attack? It did look slightly like an attempt to have the last word in an old dispute.

The Company certainly could not have foreseen what happened. It had spent 40 years, from 1731 to 1771, building Fort Prince of Wales on the Churchill River, and finished it with a stone structure 300 feet square and almost 20 feet high. Three of the walls were 30 feet high, and the front of the wall, supporting most of the heavy cannon, was 42 feet thick at the base. It is not clear where most of the workers originated; experienced stone masons were recruited in England and presumably, the unskilled workers were obtained wherever they could be hired. According to one story, the

ensemble reprennent le poste de York. Seul Fort Albany, sur la baie, reste aux mains des Anglais.

Ce combat est l'un des derniers avant que la paix de Ryswick ne mette fin aux hostilités. Mais pendant la guerre de la Succession d'Espagne, les Français essaient encore de prendre le fort Albany. Cette attaque menée par 100 hommes ressemble beaucoup à celle de 1686. Les Anglais résistent mais il leur faut attendre 1713 pour que le traité d'Utrecht force la France à abandonner toute prétention sur la baie, ce qui en fait "une mer de la Compagnie de la baie d'Hudson".

Pourtant, près de 70 ans plus tard, bien des habitants de la Nouvelle-France mettent toujours en doute le bien-fondé de ce traité. Ils soutiennent en effet que les territoires qu'ils occupent n'ont pas de frontières, qu'ils s'étendent donc jusqu'à la côte de la baie et qu'on ne peut en toute justice les en exclure, particulièrement sur les côtes est et sud.

En cela, ils n'ont peut-être pas tort. Même la charte de la Compagnie de la Baie d'Hudson, sur laquelle les Anglais basaient leur monopole, n'était elle-même pas très claire. La Charte assure "au dit Gouverneur, à la Compagnie et à leurs successeurs, le monopole du commerce de ces mers, détroits, baies, rivières, lacs et marécages à toutes les latitudes entre l'entrée du détroit appelé détroit de l'Hudson ainsi que toutes les terres et territoires compris dans les limites des mers, baies, lacs, rivières et marécages mentionnés ci-dessus" — et vient le point de litige — "qui ne sont pas à présent en possession de nos sujets ni d'aucun sujet d'un autre prince ou état chrétien".

### Le mot final dans une vieille dispute

Les Français n'étaient-ils pas les sujets "d'un prince ou d'un état chrétien"?

Le 6 août 1782, un siècle presque jour pour jour après que Radisson et Des Groseilliers l'aient revendiquée pour la France, l'amiral Jean-François La Pérousse met voile sur la baie et prend ce qui était à l'époque le plus puissant des forts de l'Ouest. Cette attaque, 19 ans après la signature du traité de Paris et alors que les Anglais se battent déjà contre les colons américains insurgés, s'explique difficilement bien que

best men at cracking the big boulders used in the walls were graduates of Irish jails.

The pride the Company felt in the massive fort only added to the embarrassment when it fell rather ignominiously, with the normally resourceful western explorer, Samuel Hearne, in command. Hearne had already built Cumberland House on the Saskatchewan River, and reached the Coppermine River, but his reputation was marred by unaccountable conduct in a moment of decision at Fort Prince of Wales.

### Flag of Surrender was Quickly Raised

The French fleet was sighted on the evening of August 8, 1782, but Hearne was confident that no foreign naval commander would attack the massive fort. The English awoke the next day, however, to find 400 French soldiers from the ships which had anchored in the harbour lined up in fighting formation. Hearne must have been gripped by panic. He might have the heaviest cannons and the strongest fort in the world, but he had only 39 men and was ill-prepared for battle. Had the cannons been serviced? Did anyone knew how to use them? What use would they be in a skirmish with soldiers lined up close to the wall of the fort?

No one will ever know Hearne's thoughts at that moment, but, regardless of their nature, he yielded to weakness. Without even asking for negotiations with the French, he apparently seized a flag of surrender and raised it. For the attackers, it was an invitation to enter through open doors. The battle was over before it started, with no one on either side firing a shot.

The French attempted to destroy the fort, but it proved impervious to fire and nearly invulnerable to dynamite — an archway over the gate was wrecked, a storehouse and one of the bastions were damaged and a few boulders in one wall were displaced. Discouraged, the French turned to looting and then sailed away to an easy capture of York Factory. It was the third time York had been captured by the French and, finding it easier to destroy, they simply set it afire and sailed for France.

Later, the French government agreed to compensate

la France, dès 1778, se soit déclarée du côté américain. C'était peut-être un acte sentimental mais quelle valeur pratique pouvait bien avoir cette attaque menée sur trois navires, en dehors de toute zone de guerre? Elle semble plutôt être le dernier geste gratuit dans une vieille dispute.

La Compagnie n'avait certainement pas prévu cette attaque. Elle avait passé 40 ans, de 1731 à 1771, à construire le fort Prince of Wales sur le Churchill et l'avait fini par une structure de pierre de 300 pieds carrés et de près de 20 pieds de hauteur. Trois des murs avaient 30 pieds d'épaisseur. Le quatrième, le mur à canons, avait une profondeur de 42 pieds à la base. Personne ne sait exactement d'où sont venus les maçons qui ont fait ce travail. On pense que les ouvriers qualifiés furent recrutés en Angleterre, et les manoeuvres, embauchés n'importe où. L'histoire veut que les meilleurs tailleurs de pierre soit d'anciens détenus des prisons d'Irlande.

Les Anglais étaient fiers de cette forteresse, aussi furent-ils des plus confus lorsque, commandée par l'explorateur Sameul Hearne, d'ordinaire si astucieux, celle-ci fut pratiquement livrée aux mains ennemies. Hearne avait déjà construit Cumberland House sur le Saskatchewan et il s'était rendu jusqu'à la rivière Coppermine mais sa réputation fut ternie par sa conduite inexplicable au moment de l'attaque à Fort Prince of Wales.

### Les Anglais se rendent

La flotte française est en vue le soir du 8 août 1782, mais Hearne est convaincu que personne n'osera attaquer ce fort. À leur réveil le lendemain matin, les Anglais doivent cependant faire face à 400 soldats rangés, prêts à la bataille. Leurs bateaux avaient jeté l'ancre pendant la nuit. Hearne a dû être saisi de panique. Il possédait peut-être les canons les plus lourds et le fort le plus solide au monde, mais il n'avait que 39 hommes et surtout, il n'était pas prêt à se battre. Ses canons étaient-ils en bon état? Savait-on s'en servir? De quelle utilité seraient-ils contre ces hommes si près des murs du fort?

Personne ne saura ce qui pouvait préoccuper Hearne à ce moment-là, mais il n'y a aucun doute qu'il se conduisit avec faiblesse. Sans même demander à négocier avec les Français,

the Company for losses sustained in the attack, but the Company reported that "the debt was never paid". As it turned out, the two captured posts were soon restored to working order and occupation was not long delayed.

But the episode was still unique in Canadian history. The attack on the two posts resulted in a double distinction; the easiest victory and the most humiliating surrender in the Canadian story. Fort Prince of Wales still stands much as it did 200 years ago, across the harbour from the port of Churchill. Hearne, on his return from France, did not attempt to repair the damage done by the French, but after the Hudson Bay Railway was built to Churchill in 1929, the federal government restored it.

*The French fleet attacks Fort Prince of Wales*
*Fort Prince de Wales attaqué par la flotte française*

il plante un drapeau pour signifier qu'il se rend. Pour les attaquants c'est une invitation à entrer par la grande porte. La bataille se termine avant même de commencer — pas un coup de feu n'est tiré.

Les Français essaient de détruire le fort qui refuse de brûler et qui résiste même à la dynamite. Une seule voûte au-dessus de l'entrée est démolie, un entrepôt dans l'un des bastions est endommagé et quelques pierres de taille dans un mur sont déplacées. Découragés, les Français se contentent de piller puis mettent les voiles sur York Factory qu'ils prennent aisément. C'est la troisième fois que York tombe aux mains des Français. Ceux-ci le détruisent en y mettant simplement le feu, puis ils regagnent la France.

Plus tard, les Français s'engagent à indemniser la Compagnie pour les pertes subies durant ces attaques mais celle-ci a maintenu que "la dette n'a jamais été remboursée". Quoi qu'il en soit, les deux forts sont bientôt remis en assez bon état pour être de nouveau occupés.

Cet épisode est vraiment unique dans l'histoire canadienne. Cette attaque représente en effet, à la fois, la victoire la plus facile et la capitulation la plus humiliante de l'histoire canadienne. Fort Prince of Wales est encore là, semblable à ce qu'il était il y a 200 ans, en face du port de Churchill. Hearne, après son retour de France, n'essaya même pas de réparer les dégâts causés par les Français. En 1929, cependant, après la construction du chemin de fer jusqu'à Churchill, le gouvernement fédéral prit en charge les travaux de réfection.

# 4

## DE LA VÉRENDRYE REMOVED FEAR, UNCERTAINTY FROM LAND THAT BECAME WESTERN CANADA.

It is a great name in Canadian history, deserving of the highest respect, both east and west. The family record of Pierre Gaultier de Varennes, Sieur de la Vérendrye, and his four sons, stands without parallel, making the name symbolic of exploration in the face of danger, dedication without reward and courage when it was unnoticed.

Trader, soldier, patriot and explorer, the elder de la Vérendrye had an added distinction in being a native son, born at Three Rivers, about midway between Montreal and Quebec, where the amazing Pierre Radisson lived for a time. All four sons — Jean-Baptiste, Pierre Gaultier, Franois and Louis-Joseph — who shared their father's fortunes and misfortunes in exploration were born at Sorel, on the Montreal side of Three Rivers.

### Frontenac's Heroics Impressed Young Boy

The elder de la Vérendrye was born in 1685, when Louis XIV was at the peak of his power and the dauntless Frontenac was governor of New France. That made it easy for any young Frenchman to catch a vision of French destiny in the New World. One of 10 children in the family, the boy spent hours at the fort of Three Rivers where his father was in command. There, he listened to stories about Samuel de Champlain, father of the colony; about the brave Dollard des Ormeaux, who perished while trying to protect Montreal from attack; about a rising military star, Pierre le Moyne d'Iberville, who was said to be outguessing the English on Hudson Bay; and certainly about Robert Cavelier de la Salle, who only three years before the boy was born, had travelled

# 4

## LA VÉRENDRYE VAINC LA PEUR ET LE DOUTE DANS L'OUEST

Dans l'Est comme dans l'Ouest, La Vérendrye est un grand nom dans l'histoire du Canada. Les prouesses sans pareilles de Pierre Gaultier de Varennes, sieur de la Vérendrye, et de ses quatre fils, ont fait de ce nom un symbole d'exploits intrépides, nullement motivés par des soucis d'honneurs.

Commerçant, soldat, patriote et explorateur, l'aîné des La Vérendrye était de plus un fils du pays. Né à Trois-Rivières, à mi-chemin entre Montréal et Québec, où le personnage étonnant de Pierre Radisson a vécu quelque temps, tous ses fils — Jean-Baptiste, Pierre-Gaultier, François et Louis-Joseph — naissent à Sorel, entre Montréal et Trois-Rivières, et partagent les succès et les insuccès des explorations paternelles.

### L'héroïsme de Frontenac impressionne le jeune garçon

L'aîné de dix enfants, Pierre de La Vérendrye est né en 1685 alors que Louis XIV était à l'apogée de sa puissance, et l'infatigable Frontenac, le gouverneur de la Nouvelle-France. Tout jeune Français peut rêver et s'imaginer le rôle de la France dans la destinée du Nouveau-Monde. Le père de La Vérendrye est alors commandant au fort de Trois-Rivières; le jeune garçon y passe des heures à écouter les récits des aventures d'hommes tels que Samuel de Champlain, père de la colonie, le courageux Dollard des Ormeaux, tué alors qu'il défendait Montréal, Pierre le Moyne d'Iberville, héros de guerre de l'époque, habile à déjouer les Anglais à la baie d'Hudson. Il entend certainement aussi parler de Robert Cavalier de La Salle, qui, en 1682, trois ans seulement avant

all the way to the mouth of the Mississippi, where he attempted to found a colony in the name of Louis XIV.

Most of all, he heard stories about the proud, resolute, impatient and difficult governor of the day, Frontenac. Frontenac might be unloved, but he was the acknowledged "man of the hour" as he fought off enemies and potential enemies on all sides — English colonists to the south, the Hudson's Bay Company interests on the bay, and the Iroquois, given to making suprise attacks. Frontenac even opposed church interests when Bishop Laval threatened the fur trade by condemning all use of spirits in dealing with the Indians. But his work imparted a sense of identity and spirit that carried New France through the defeat of 1753 on the Plains of Abraham.

At the age of 12, the young de la Vérendrye was a cadet. At 19, he was with the colonial troops getting a taste of warfare in raids against the English colonies. Two years later, by that time with the Regiment de Bretagne in France, he was severely wounded and left for dead in the Battle of Melplaquet in 1709.

### Indian Tales Told of Mysterious Land

On returning to Three Rivers, bearing the scars from nine wounds, de la Vérendrye turned to trading, at first on the St. Maurice River, then on more distant Lake Nipigon. The fur trade which had furnished the economic lifeblood of the colony was in depression. De la Vérendrye believed he could help by taking the trade farther west. He had heard Indian tales about a mysterious "big land" far to the west. One of his informants was a tribal elder, Ochagach, who came from a distant Kaministikwia and related his own experiences in the West, where he had seen huge herds of wild cattle and men riding horses. De la Vérendrye supposed the "cattle" were buffalo and wondered if the men might be Spaniards who came by sea.

The lure of exploration was growing. More and more, de la Vérendrye wanted to find a water route to the Western Sea and on to the fabled lands of the Orient. How could anybody serve New France better than by opening such a

sa naissance, a descendu tout le Mississippi pour essayer de fonder une colonie au nom de Louis XIV.

Mais surtout, le garçon entend des récits relatant la fierté, la volonté, l'impatience et le caractère exigeant du gouverneur de l'époque: Frontenac. Celui-ci n'est guère aimé, mais de l'avis de tous il est "l'homme de l'heure", celui qui surmonte les obstacles et sait repousser l'ennemi, quel qu'il soit: les colons anglais du Sud, les intérêts de la Compagnie de la Baie d'Hudson ou les Iroquois qui aiment attaquer par surprise. Frontenac s'oppose même au clergé, en la personne de Monseigneur de Laval qui, condamnant tout apport d'alcool chez les Indiens, menace ainsi le commerce des fourrures. Mais son rôle développe un sentiment d'identité et d'esprit de corps qui a mené, par la suite, la Nouvelle-France à la défaite des Plaines d'Abraham.

À douze ans donc, La Vérendrye est cadet; à dix-neuf ans, il sert dans les troupes coloniales et goûte pour la première fois à la guerre lors des raids contre les colonies anglaises. Deux ans plus tard, cette fois avec le régiment de Bretagne en France, il est sévèrement blessé et laissé pour mort à la bataille de Malplaquet en 1709.

## Des légendes canadiennes parlent d'une terre mystérieuse

De retour à Trois-Rivières après avoir été blessé neuf fois, La Vérendrye s'établit dans le commerce, d'abord sur la rivière St-Maurice et ensuite plus loin, sur le lac Nipigon. Le commerce des fourrures, ressource principale de la région, était en régression. La Vérendrye croyait qu'il pouvait améliorer la situation en étendant le commerce vers l'ouest car il avait entendu des légendes indiennes mentionnant l'existence de mystérieuses grandes terres plus à l'ouest. Il se basait sur les histoires d'un vieillard de la tribu, Ochagach, qui venait de la lointaine Kaministikwia et qui racontait sa propre expérience dans l'Ouest où il avait vu d'énormes troupeaux de "vaches" sauvages et des hommes à cheval. La Vérendrye supposait que les "vaches" étaient des bisons et les hommes à cheval, des Espagnols venus par mer.

L'exploration l'attirait de plus en plus. Il voulait trouver une voie d'eau menant à la "mer de l'Ouest" et, de là, aux fabuleuses terres de l'Orient. Comment pouvait-on mieux

route, with a chain of trading posts reaching as far as there was land?

The fact was that la Vérendrye's heart was in exploration more than in trading. He applied to the Governor Marquis de Beauharnais for funds to support an expedition. The request was rejected by the king — France needed the money for wars in Europe — but Louis offered a compromise: he would grant de la Vérendrye the rank of commandant in the new country which he might open up, with monopoly trading privileges. That would help; the new hope was in combining the proposed exploring venture with the fur trade, using the latter to pay for the former. But even such a combination would require financing and the Montreal merchants who were willing to advance trade goods left no doubt that they expected to be repaid.

With those Montreal businessmen as bankers, de la Vérendrye and three sons — Jean-Baptiste, Franois and Pierre Gaultier — and an able nephew, de la Jemeraye, left Montreal in June, 1731, with a crew of nearly 50 voyageurs. At the Long Sault rapids on the Ottawa River, superstitious voyageurs imitated the Indians by throwing a handful of tobacco to appease the possible wrath in the Windigo, the spirit living in and ruling the troubled waters there. But the party knew there would be many more stretches of wild water before they reached Lake Superior.

Seventy-eight paddling days brought the expedition to the west side of Lake Superior. De la Vérendrye wanted to mount the long portage known therafter as Grand Portage, and push on, but his voyageurs, weary and homesick, wanted to turn back. There was a threat of mutiny. To avoid a serious problem, he divided the party, sending de la Jemeraye and the more willing and courageous men westwards to Rainy Lake while he took the others to winter at Kaministikwia, on the north side of Lake Superior not far from the place at which Fort William was later built.

De la Jeremaye built a post on the south side of Rainy Lake, calling it Fort St. Pierre to honour the elder la Vérendrye, who arrived the next year. De la Vérendrye did not remain long at Rainy Lake. He continued west to build a trading post on a peninsula extending well into Lake of the

servir la Nouvelle-France qu'en ouvrant cette nouvelle voie et en créant une série de postes de commerce jusqu'à la côte?

D'ailleurs, La Vérendrye se passionnait bien plus pour l'exploration que pour le commerce. Il présente donc une demande de fonds pour le financement d'une expédition au gouverneur, le marquis de Beauharnais. Cette requête est rejetée par le roi, car la France a besoin d'argent pour les guerres en Europe. Louis XIV offre quand même un compromis: il accorde à La Vérendrye le rang de commandant dans le pays qu'il va explorer ainsi que le monopole et les privilèges du commerce. C'est un premier pas. Cela permet d'espérer que le commerce des fourrures pourra subventionner l'exploration, mais il faudra des fonds supplémentaires, car même les marchands de Montréal disposés à promouvoir le développement du Canada ne cachent pas leur intention d'être remboursés.

Néanmoins, c'est grâce à ces marchands de Montréal que La Vérendrye et trois de ses fils, Jean-Baptiste, François, Pierre-Gaultier et un neveu, le valeureux La Jémeraye, quittent Montréal, en 1731, accompagnés de 50 voyageurs. Sur les rapides du Long-Sault sur la rivière Ottawa, des voyageurs superstitieux, imitant les Indiens, jettent une poignée de tabac dans l'eau pour apaiser la colère de Windigo, esprit régnant sur ces eaux mouvementées. Il fallait s'attendre cependant à bien d'autres difficultés avant d'arriver au lac Supérieur.

Après soixante-dix jours de voyage, ils arrivent sur la rive ouest du lac Supérieur. La Vérendrye veut entreprendre le long portage, connu depuis sous le nom de Grand Portage, et poursuivre la route; mais ses voyageurs, las et saisis de nostalgie, veulent s'en retourner et menacent de se mutiner. Pour éviter de sérieuses complications, La Vérendrye divise le groupe en deux: il envoie son neveu et les plus courageux à l'ouest vers le lac La Pluie et part avec les autres passer l'hiver à Kaministikwia sur la rive nord du lac Supérieur, non loin de l'endroit où sera construit plus tard Fort William.

La Jémeraye érige un poste sur la rive sud du lac La Pluie et l'appelle Fort St-Pierre en l'honneur de son oncle qui y vient l'année suivante. Ce dernier poursuit son chemin vers l'Ouest; il construit un poste de commerce sur une grande

Woods, calling this one Fort St. Charles in recognition of the governor of New France, Charles, Marquis de Beauharnais. It was one more link in the new chain of French forts.

### Explorer's Son Killed in Attack

Still far from his goal, the Western Sea, de la Vérendrye sent Jean-Baptiste and de la Jeremaye over the snow in the winter of 1732-33 to add still another post, this one on Lake Winnipeg, close to the mouth of the Red River. With this, he had broken out of the great Canadian Shield and become a leader in establishing trade in the West. The new post was called Maurepas after a minister in the French government.

All this was clear evidence of progress, but there were setbacks too. Later in the year in which Maurepas was built, de la Vérendrye returned to Montreal with hopes of appeasing his creditors, who were threatening to pull out unless more furs — and more payments on his debts — appeared. He wanted to play the game fairly, but he believed the exploration should be continued at any price. With his crew unpaid as well as his stock of trade goods low, he faced a serious situation, but after lengthy negotiations he returned to Fort St. Charles with some slender assurance of continuing help.

There was more trouble when he returned to Lake of the Woods. His clever and dedicated nephew, de la Jeremaye, had died at Red River, apparently exhausted. His passing would prove a serious blow to the uncle's plans.

And that was not all. The next loss was even harder to take. It was the death of de la Vérendrye's oldest son, Jean-Baptiste, at the hands of Sioux Indians. Perhaps there had been some provocation — the young man was said to have joined a war party of the enemies of the Sioux — or perhaps there was some misunderstanding. Saulteaux Indians armed with new French guns were said to have killed some Sioux from ambush and implied that the French had done it. The Sioux vowed revenge and, a party of 21 including Jean-Baptiste, a priest and a few friendly Indians was the first to suffer.

One morning after the Saulteaux ambush, Jean-Baptiste and his party, were spotted by the Sioux during a stop on a

péninsule du lac des Bois et le baptise Fort St-Charles en l'honneur du gouverneur de la Nouvelle-France: Charles, marquis de Beauharnais. C'est un maillon de plus dans la nouvelle chaîne des forts français.

## Un des fils de l'explorateur tué lors d'une attaque

Durant l'hiver 1732-1733, encore loin de son but: la mer de l'Ouest, La Vérendrye envoie Jean-Baptiste et La Jéméraye construire un autre poste sur le lac Winnipeg près de l'embouchure de la rivière Rouge. Ce faisant, il établit sa renommée de pionnier du commerce dans l'Ouest. Ce nouveau poste est baptisé Maurepas, nom d'un ministre du gouvernement français.

Malgré un progrès certain, il y a aussi des temps morts; cette même année La Vérendrye doit retourner à Montréal dans l'espoir d'apaiser ses créanciers qui menacent de lui couper les fonds s'il ne leur fournit pas davantage de fourrures et ne paye pas ses dettes plus assidûment. Il était de bonne foi mais il pensait que l'exploration devait être poursuivie à tout prix. Ses hommes n'avaient pas été payés et ses stocks de marchandises étaient très bas; aussi, se trouvait-il dans une situation difficile. Pourtant, après de longues négociations il revient à Fort St-Charles nanti de quelques nouvelles promesses.

Mais d'autres malheurs l'attendent à son retour au lac des Bois. Son neveu, La Jéméraye, si intelligent et dévoué, est mort à la Rivière-Rouge, sans doute d'épuisement. Cela remettait en question tous les plans de son oncle.

Ce n'est pas tout; une autre mauvaise nouvelle, plus dure encore à accepter l'attend: son fils aîné, Jean-Baptiste, a été tué par des Sioux. Peut-être y avait-il eu provocation — le jeune homme, disait-on, aurait participé à une attaque menée par des ennemis des Sioux — ou peut-être était-ce un malentendu. Des Saulteux armés de fusils français auraient tué des Sioux dans une embuscade, laissant croire que les Français en était responsables. Quoi qu'il en soit, les Sioux avait juré de se venger et Jean-Baptiste et un groupe de 21 personnes, dont un prêtre et quelques Indiens de leurs amis, en furent les premières victimes. Voici comment.

Le lendemain de l'embuscade des Saulteux, Jean-Baptiste

Lake of the Islands en route to pick up supplies at Mackinac. The Sioux approached the island from the other side and fell upon the group, killing everyone.

It was a shocking blow to de la Vérendrye, but he was now joined by his youngest son, 19-year-old Louis-Joseph, and there was no doubt that he would press on. In 1738, with some revised views about the far west, he moved on to the prairies, reasoning that what his Kaministikwia informant reported as the big water with a river to the west was Lake of the Woods, and what he described as the Western Sea was probably Lake Winnipeg. He had received more information that would prove useful, especially a story of a tribe of progressive Indians in the southwest who lived in big villages beside a large river flowing to the west. More interested in the river than in the Indians, he would investigate.

### First Whites to Stand in Heart of Winnipeg

De la Vérendrye left his son Pierre behind to supervise Fort St. Charles while François and Louis-Joseph accompanied him up the Red River for a trip west. At the point where the Assiniboine River joins the Red River, the de la Vérendryes became the first white men to stand on ground that is now at the heart of the city of Winnipeg. They built a trading post they called Fort Rouge, a name still in use to identify a Winnipeg community.

The party journeyed another 50 miles up the Assiniboine and built another post, Fort la Reine, almost on the site of modern Portage la Prairie. The site, served by both the rivers and the long portage connecting Lake Manitoba and the Assiniboine, had much to recommend it as a trading post.

### De la Vérendrye Endured Severe Hardships

De la Vérendrye then returned to his primary interest, exploration. Accompanied by 20 men and his two sons, he left Fort la Reine on October 16, 1738, travelling up the Souris River and then southwesterly in the general direction of, hopefully, Mandan country, where he believed he might uncover the route to the Western Sea. The party was joined en route by 600 Assiniboines. Forty-three days after leaving

et ses hommes, partis s'approvisionner à Mackinac, avaient fait halte dans une île. Les Sioux les repérèrent, arrivèrent par l'autre côté de l'île, attaquèrent le groupe par surprise et massacrèrent tout le monde.

C'est un coup dur pour La Vérendrye. Il repart pourtant après que son fils cadet Joseph, âgé de 19 ans, l'ait eu rejoint. En 1738, il reprend la route vers les Prairies. Entre-temps, ses données sur l'Ouest se sont quelque peu précisées. Il croit maintenant savoir que les grandes eaux et la rivière vers l'ouest, mentionnées par le vieil Indien, ne sont en réalité que le lac des Bois, et ce qu'il pensait être la mer de l'Ouest, que le lac Winnipeg. Il a aussi à sa disposition d'autres renseignements qui lui seront utiles. On lui a beaucoup parlé d'une tribu indienne du sud-ouest vivant dans de grands villages auprès d'une rivière coulant vers l'ouest. Plus intéressé par la rivière que par les Indiens, il va l'explorer.

### Les premiers blancs à Winnipeg

La Vérendrye confie à son fils Pierre la garde du fort St-François, tandis que François et Louis-Joseph remontent avec lui la rivière Rouge vers l'ouest. Au confluent de l'Assiniboine et de la rivière Rouge, les La Vérendrye deviennent les premiers blancs à poser le pied sur ce qui est maintenant le centre de Winnipeg. Ils y construisent le fort Rouge, un poste de commerce dont le nom est d'ailleurs encore utilisé pour un quartier de Winnipeg.

Après un voyage de 50 milles plus à l'ouest et en amont, le groupe bâtit un autre fort sur l'Assiniboine: le fort La Reine près du site actuel de Portage-la-Prairie. Ce site, point de rencontre de la rivière et du long portage reliant le lac Manitoba et l'Assiniboine était l'endroit propice pour un poste de commerce.

### Les nombreuses épreuves de La Vérendrye

La Vérendrye revient alors à ce qui l'intéresse le plus: l'exploration. Accompagné de 20 hommes et de ses deux fils, il quitte le fort La Reine le 16 octobre 1738, remonte la rivière Souris puis s'oriente vers le sud-ouest dans la direction du pays des Mandanes où il espère découvrir la route vers la mer de l'Ouest. Six cents Assiniboines se joignent à eux et, après

Fort la Reine the expedition reached the Mandan villages on the big river. The reception was cordial, but the Mandans and their surroundings were not quite as they had been described. They did live besides a big river, the Missouri, but it flowed out of the west not into it, and the natives could not enlighten the visitors about an ocean which could be reached from there. Moreover, the continent was broader than expected and there were mountains to block a westward journey. De la Vérendrye, disappointed and ill, decided to return to Fort la Reine in December, winter notwithstanding. However, he left behind two servants to learn the Mandan language and, hopefully, pick up some new information about the Western Sea and the way to get there.

Battling deep snow and severe cold, and with only tepees for shelter, de la Vérendrye endured what he called the most unpleasant days and nights of his life before reaching Fort la Reine. Concerned about his health, he remained only briefly before continuing east to Montreal. After a short stay there, he would return west for another search for the Western Sea.

To de la Vérendrye's surprise, his Montreal reception was unpleasant. His illness worried him and to make matters worse, his fur trade commission in the new country was withdrawn. With the loss of his title would go the source of funds for exploration. It appeared, suddenly, that de la Vérendrye's search for the Western Sea was at an end.

But the search had not ended for his sons. In 1742, with fresh clues from the two French servants left with the Mandans four years earlier, Pierre and François returned to Mandan country. According to the two servants, some strangers known as Horse Indians had come to the Mandan camp from the west and told of the "big lake" with water, too salty to drink, whose level rose and fell daily.

Pierre and François found the Horse Indians, who agreed to take them to their neighbours, the Bow Indians, who could direct them to a mountain top from which it would be possible to look down upon the "big lake". This was encouraging; the de la Vérendryes were excited about the prospect. The Bows were friendly and agreed to guide the two brothers and the servants to the mountain lookout. But

43 jours de voyage, ils arrivent au village des Mandanes. L'accueil est cordial mais les Mandanes et le pays ne ressemblent pas à ce qui avait été décrit. Certes, ils vivent sur les bords d'une grande rivière, le Missouri, mais elle ne coule pas vers l'ouest. Les Indiens ne savaient rien de cet océan censé être accessible de chez eux. En outre, le continent était plus large que prévu et il y avait des montagnes à l'ouest. La Vérendrye, déçu et malade, décide de retourner au fort La Reine en décembre, malgré l'hiver. Il laisse cependant deux de ses hommes pour apprendre la langue des Mandanes et recueillir toute nouvelle information au sujet de la mer de l'Ouest et de la façon d'y arriver.

Durant ce voyage dans la neige et le grand froid, avec des teepees pour seul abri, La Vérendrye a vécu ce qu'il a lui-même appelé les jours et les nuits le plus pénibles de sa vie. Arrivé au fort La Reine, et préoccupé par sa santé, il ne fait qu'un bref séjour et il continue sa route vers Montréal. Il compte y passer quelque temps puis retourner vers l'ouest reprendre ses recherches vers la mer de l'Ouest.

À sa grande surprise, La Vérendrye est fort mal reçu à Montréal. Inquiet pour sa santé, il perd de plus son permis de commerce de fourrures. Ce privilège perdu, il n'a donc plus de quoi financer d'autres expéditions. Les recherches de La Vérendrye vers la mer de l'Ouest semblent bien finies.

Mais ses fils, eux, armés de nouvelles informations recueillies par les deux hommes laissés chez les Mandanes quatre ans plus tôt, repartent au pays des Mandanes. Selon ces deux Français, d'autres Indiens, appelés les Chevaux, sont venus de l'Ouest au camp mandane et ont parlé d'un grand lac dont l'eau était bien trop salée pour être bue.

Pierre et François retrouvent ces Indiens qui acceptent de les mener chez leurs voisins, les Arcs, et ceux-ci promettent de les guider jusqu'au sommet d'une montagne d'où ils pourraient voir le "grand lac". C'était encourageant et les La Vérendrye se sentaient séduits par ce projet. Les Arcs étaient très aimables et allaient les guider jusqu'à un point d'observation dans les montagnes. Mais ils étaient en guerre avec la tribu des Serpents; en route ils s'aperçoivent de la présence de leurs ennemis: ils s'enfuient et abandonnent les Français à leur sort. Ces derniers voient bien les montagnes mais ne

the Bows had been at war with the Snake tribe and on the way to the mountains recognised signs of a big encampment of their enemies nearby. They fled, leaving the French exposed and helpless. The men could see the mountains, but did not know how to get through them or find the lookout position.

Stranded in hostile Snake Country, the de la Vérendryes felt obliged to abandoned the search. They made their way back in the direction of Fort la Reine, apparently stopping at a hill in what would become South Dakota. There, they raised the flag of France, constructed a cairn of stones and buried a lead tablet bearing the insignia of the king of France. The flag weathered, of course, and the pile of stones lost its shape, but 170 years later, a little girl playing near the town of Pierre in South Dakota found the plate, identifying one stop in the expedition of 1742-43.

### Argument Surrounds the "Mountains"

The remainder of the route taken by the de la Verendrye sons remains unclear. There has been argument about the identity of the mountains they saw. Were they really the Rocky Mountains or were they the Big Horns? If they were indeed the Rockies, the expedition tends to rob Anthony Henday of the Hudson's Bay Company of some of the distinction commonly accorded him as the first white man travelling from what became Canada to see the Rockies. Henday saw the Rockies 12 years later, in 1754.

While much about the journey by the young de la Vérendryes remains in doubt, they clearly did not discover the Western Sea and did not find a course that would allow them to reach it from the Plains.

### Stories Kindled New Enthusiam

While Pierre de la Vérendrye was engrossed with an approach through the Mandan country, he was not overlooking other possibilities. There was also the rather promising avenue provided by a more northerly river, known later as the Saskatchewan. Moving in that direction in 1741, he had built Fort Dauphin where the Waterhen River enters Lake Manitoba at its northwest corner as well as Fort Bour-

savent pas comment y arriver ni où chercher le point d'observation.

Perdus dans un pays hostile, les la Vérendrye se sentent contraints d'abandonner. Ils rebroussent chemin vers le fort La Reine et s'arrêtent, semble-t-il, sur une colline du futur Dakota du Sud. Ils y plantent un drapeau français et y construisent un monument de pierre auquel ils fixent une tablette de plomb portant les armes du roi de France. Cent soixante-dix ans plus tard, le drapeau avait disparu et la construction de pierre perdu sa forme, mais tout en jouant près du village de Pierre dans le Dakota du Sud, une fillette retrouva la tablette révélant ainsi la halte de l'expédition de 1742-1743.

### Discussions au sujet des "montagnes"

Les détails quant au reste du périple des fils de La Vérendrye restent obscurs. On doute par ailleurs de l'identité des montagnes qu'ils ont vues. S'agissait-il réellement des Rocheuses ou bien des Big Horns? Si c'étaient les Rocheuses, cette expédition enlève alors à Anthony Henday, qui ne les vit que 12 ans plus tard, en 1754, la distinction qu'on lui accorde d'ordinaire: d'être le premier blanc voyageant dans ce qui deviendrait plus tard le Canada, à voir les Rocheuses. Henday travaillait pour le compte de la Compagnie de la Baie d'Hudson.

Si beaucoup de détails du voyage des fils de La Vérendrye restent douteux, il est certain en tout cas qu'il ne découvrirent pas la mer de l'Ouest ni aucune voie permettant d'y accéder par les plaines.

### De nouveaux renseignements rallument l'enthousiasme

Même si Pierre de La Vérendrye était convaincu d'un chemin possible à travers le pays des Mandanes, il ne négligeait pas d'autres possibilités. Il y avait aussi la rivière plus au nord, connue plus tard sous le nom de Saskatchewan. Se déplaçant dans cette direction en 1741, il avait construit Fort Dauphin là où la rivière de la Poule d'Eau se jette dans le lac Manitoba à sa pointe nord-ouest, ainsi que Fort Bourbon sur le lac Cedar près de l'embouchure de la Saskatchewan. Remontant la rivière jusqu'au confluent, un peu à l'est du

bon on Cedar Lake, near the mouth of the Saskatchewan. As he paddled upstream as far as the forks, not far east of the present-day Prince Albert, he encountered Crees with stories resembling those related by the Horse Indians, stories of a "big lake" with salty water. Although they admitted there was the obstacle of mountains, it was enough to kindle new enthusiasm.

On his way upstream on that trip, Pierre stopped to choose the site for another post, Paskoyac, where the Manitoba town of The Pas would stand. This fort, he believed, would be needed as a base when he was ready to go, hopefully, to the ocean.

### Finally Regained Some Old Prestige

Back in Montreal, the elder de la Vérendrye was regaining his health — or thought he was — as well as his former prestige. Governor de Galissonière must have sensed an injustice and saw to it that the explorer's contributions were recognised. The Cross of St. Louis and the military rank of captain were conferred. Most important, de la Vérendrye was commissioned a commandant again, giving him authority in the remote fur country. But, preparing to rejoin his sons in the search for the route to the Western Sea, he died in Montreal on December 6, 1749, ending his magnificent service in removing fear and uncertainty from the land that became Western Canada.

De la Vérendrye's discoveries would form a lengthy list, but there are highlights. It was he who brought French interests out of the midcontinental woods to the plains, and it was he who discovered the continental crossroads where four big rivers shared in the Lake Winnipeg system — the Winnipeg from the east, the Red from the south, the Saskatchewan from the west and the Nelson flowing out to the north. In the years when a canoe offered the only or best means of travel, it represented something almost as important as finding the Western Sea.

site de Prince Albert, il avait rencontré des Cris qui avaient des contes semblables à ceux des Chevaux, mentionnant un "grand lac" salé. Malgré l'obstacle des montagnes, cela avait suffi pour raviver un nouvel enthousiasme.

Au cours de ce voyage, tout en remontant la rivière, Pierre avait choisi le site pour un autre poste: Paskoyac, appelé aujourd'hui Le Pas dans le Manitoba. Ce fort, pensait-il, lui servirait de base lorsqu'il serait prêt à tenter de remonter jusqu'au bout la rivière par laquelle il espérait arriver à l'océan.

## La Vérendrye reçoit enfin les honneurs mérités

De retour à Montréal Pierre de La Vérendrye recouvre à la fois la santé — du moins le croit-il — ainsi que son prestige. De la Galissonnière, alors gouverneur, estime qu'il y a eu injustice et fait en sorte que les services de l'explorateur soient reconnus à leur juste mérite. On lui décerne la croix de Saint-Louis et le rang de capitaine dans l'armée. Mais le plus important réside dans le fait que, de nouveau commandant, il a toute autorité sur le lointain commerce des fourrures. Malheureusement, comme il se prépare à repartir pour continuer avec ses fils la recherche de la route vers la mer de l'Ouest, il meurt à Montréal le 6 décembre 1749. Toute sa vie, il avait combattu la peur et la doute, ouvrant les terres de l'Ouest canadien à une ère nouvelle.

Les découvertes de La Vérendrye constituent une bien longue liste et certaines parmi elles sont capitales. C'est lui par exemple qui a intéressé la France aux plaines continentales et fait connaître l'important système fluvial de quatre rivières se jetant dans le lac Winnipeg: la rivière Winnipeg venant de l'est, la rivière Rouge du sud, la Saskatchewan de l'ouest et la Nelson descendant du nord. À l'époque où le canoë était le seul et le meilleur moyen rapide de transport, cette découverte s'avérait d'une importance presqu'égale à celle de la mer de l'Ouest.

# 5

## INTENSE COMPETITION FOR THE
## LUCRATIVE FUR TRADE
## IN AN UNPOLICED WILDERNESS

How the public judgment can change in a generation or two! Jacques Cartier, on his first voyage to the St. Lawrence, concluded it to be "the land that God gave to Cain". It was not flattering. Cartier was properly impressed by the nearby fishing, still some of the best in the world, but was unimpressed by the country. He changed his mind, though, and other Frenchmen, especially after the rise of Louis XIV, proved ready to give their lives to retain what they held of the New World and reach out for more.

By the early eighteenth century, a growing challenge lay in the great "fur forest" encircling the lower portion of Hudson Bay, where the English argued prior claim. The results of war in Europe had turned the trade conflict on the shores of the bay against the French, enforcing through the Treaty of Utrecht in 1713, their complete withdrawal from participation there.

The Hudson's Bay Company, eager to give full expression to the trading monopoly conferred by charter, formally received York Factory and other posts occupied by the French during the conflict over the Bay. Once again, the English would have to themselves the 5,000 miles of coastline on the Bay as well as the surrounding fur country.

But the conflict was far from over. The French on the St. Lawrence saw nothing in the Treaty of Utrecht to prohibit attempts to barter on the interior trade routes. In the 1730's, the de la Vérendryes built a crescent-shaped chain of posts capable of intercepting cargoes of furs on all the important Indian approaches to the Bay. In this way the French hoped to divert to Montreal a large portion of the furs which

# 5

## GRANDE COMPÉTITION POUR LE COMMERCE LUCRATIF DES FOURRURES DANS UN PAYS SAUVAGE

Comme l'opinion publique peut changer en une ou deux générations! Jacques Cartier, lors de son premier voyage au Saint-Laurent, l'appelle "la terre que Dieu donna à Caïn". Ce n'était pas très flatteur. Cartier est tout à fait étonné par la richesse de la pêche, encore l'une des meilleures au monde, mais le pays ne l'impressionne guère. Il change d'avis cependant, et bien des Français, surtout après l'avènement de Louis XIV, se montrent prêts à donner leur vie pour défendre leurs biens et à se lancer dans de nouvelles conquêtes au Nouveau Monde.

Dès le début du XVIIIe siècle, on ne cesse de relever le défi de la grande "forêt des fourrures" tout autour du fond de la baie d'Hudson dont les Anglais revendiquent la possession. La guerre en Europe s'est terminée au désavantage des Français; le traité d'Utrecht, en 1713, les a contraints à cesser tout commerce dans cette région.

La Compagnie de la Baie d'Hudson entend bien mettre à profit le monopole acquis par la charte. Elle prend possession de York Factory et d'autres postes occupés par les Français durant le conflit. De nouveau, les Anglais allaient jouir du privilège de 5,000 milles de côtes sur la baie, ainsi que de tout ce territoire riche en fourrures.

Mais les choses ne sont pas si simples et ce conflit n'est en rien réglé. Les Français, le long du Saint-Laurent, ne voient pas en quoi le traité d'Utrecht les empêcherait de s'emparer des routes intérieures du commerce. Ainsi, durant les années 1730, les La Vérendrye construisent une série de postes pouvant intercepter les chargements de fourrures sur toutes les routes importantes prises par les Indiens vers la

would otherwise go to Rupert River, Moose, Albany or York Factory on the Bay. The posts of St. Pierre and St. Charles would intercept much of what went previously to Albany, and the new posts in the Lake Winnipeg basin — Maurepas, Rouge, la Reine, Dauphin, Bourbon and Paskoyac — could siphon off furs expected at York.

The English on the Bay recited again the favours their charter was supposed to confer on them. But how could monopolistic trading advantages be ensured in an unpoliced wilderness? The French, who had rejected the charter as an invalid fantasy, paid no attention to the protests. Their strategically-placed posts were hurting the Company's business, and Company profits were falling. "If the English insist upon keeping the Bay to themselves, we'll take the interior," the French seemed to be saying with new confidence.

Apart altogether from the competition for furs, there was something quite singular about de la Vérendrye's placement of posts, as if the builders were peering prophetically into the future. In the Manitoba area alone, the site of Fort Rouge marked the beginning of a city which would become the capital of the province; Fort la Reine seemed to signal the city of Portage la Prairie; Fort Dauphin bore a relationship with the town of the same name, and Paskoyac was to become the northern centre of The Pas. Whether by coincidence or intuition or design, the de la Vérendryes chose townsites as well as trading posts.

### Threatened to Blow up Everyone in Fort

Some of the de la Vérendrye posts on the other hand did not survive for long. Fort Maurepas, the first of its kind in what is now Manitoba, did not remain long in its original location close to the mouth of the Red River. Another fort, erected a few miles away (at the mouth of the Winnipeg River) took the name, however. Fort la Reine, on the south side of the Assiniboine, was headquarters for the de la Vérendryes and the next commandant, Jacques Repentigny Legardeur de St. Pierre. The latter, by failing to win the friendship of the Indians, brought the post to an early end. The friction between the commandant and the Assiniboines reached the point where, on a winter day, a large band of the

baie. De cette façon, les Français prévoient détourner vers Montréal une grande proportion des fourrures qui, autrement, passeraient par la rivière Rupert, Moose, Albany ou York Factory sur la baie. Les postes de Saint-Pierre et Saint-Charles doivent intercepter ce qui va d'habitude à Albany, et les nouveaux postes sur le bassin du lac Winnipeg — Maurepas, Rouge, La Reine, Dauphin, Bourbon et Paskoyac — détournant les fourrures à destination de York.

Les Anglais de la baie, une fois de plus, essaient de faire valoir les privilèges qui leur sont conférés par la charte, mais comment faire respecter ces privilèges dans un pays sauvage? Pour les Français, cette charte est pure fantaisie. Ils en rejettent la validité et ignorent les protestations. Leurs postes, si judicieusement établis, nuisent au commerce de la Compagnie et à ses bénéfices. Les Français semblent dire avec fermeté: "Si les Anglais tiennent à garder la baie, nous pouvons prendre l'intérieur".

Mis à part leur effet sur le commerce des fourrures ces postes, et surtout le choix de leur emplacement, ont quelque chose de prophétique. Dans la région du Manitoba, par exemple, le site de Fort Rouge est l'embryon de ce qui va devenir la capitale de la province. Fort La Reine devient Portage-la-Prairie. Fort Dauphin a gardé son nom, et Paskoyac plus au nord s'appelle aujourd'hui Le Pas. Est-ce par intuition, coïncidence ou calcul que les La Vérendrye ont choisi tous ces emplacements?

## Nous allons faire sauter le fort!

Certains des forts de La Vérendrye ne survivent pas longtemps cependant. Le fort Maurepas, le premier de ce genre dans ce qui devient le Manitoba, ne reste pas longtemps à son emplacement d'origine, près de l'embouchure de la rivière Rouge. Un autre fort du même nom est construit quelques milles plus loin à l'embouchure de la rivière Winnipeg. Le fort La Reine, sur la rive sud de l'Assiniboine, sert de quartier général aux La Vérendrye puis au commandant Jacques Repentigny Legardeur de Saint-Pierre. Ce dernier, n'arrivant pas à se faire accepter par les Indiens, met vite fin aux activités du fort. En effet, la tension entre le commandant et les Assiniboines devient telle qu'un jour d'hiver, les

natives entered the fort, broke into the stores and threatened the men in charge.

St. Pierre, hopelessly outnumbered, broke open a keg of gunpowder and took a burning brand from the fireplace. Then, waving the burning wood, he threatened to blow everybody present, including himself, to destruction. The Indians fled in confusion, but St. Pierre abandoned the post, which was looted and burned to the ground by the Indians a short time later.

Paskoyac made the most lasting impression of the forts on the north-western frontier. It was like a parent post to others established to the west on the Saskatchewan. And it was most effective in cutting off furs which might have gone to the Bay.

All the French posts in the West were built along the lines of Paskoyac. While the English posts built inland in later years were square, the French posts were oblong, each one like a residential lot in a modern city, usually about 60 feet wide and 160 feet long. A narrow side, which included the main gate fronted on the river. Every fort was bounded by a stout stockade, made by placing 14-foot logs in a three-foot or four-foot trench to make a ten-foot high wall. As an added aid against attackers, bastions or projecting coves might be built in at the corners to allow a defender a clear view of the outside walls and permit him to shoot along them if the need arose.

## Calgary Connection Theory Challenged

Houses built on the inside were simply log shacks built against the stockade to ensure the maximum use of logs. A house or shack might have a cellar or simple hole in the ground and each would certainly have a fireplace, constructed roughly from field stones and furnished with a smokestack made from mud-plastered green poplar poles.

Such was Paskoyac. Such we may presume was the rather mysterious la Jonquière, built on orders from St. Pierre in 1751. But where was Fort la Jonquière? Was it, by any chance, at the junction of the Elbow and the Bow Rivers where Calgary now stands? The suggestion that Fort Calgary was built on the site of a French post erected in 1751

Indiens envahissent le fort, font irruption dans les magasins et menacent les hommes du poste.

Saint-Pierre, se voyant en minorité, saisit un tison dans la cheminée et, le tenant près d'un baril de poudre, menace de tout faire sauter. Les Indiens, affolés, s'enfuient mais Saint-Pierre abandonne le poste, pillé et brûlé peu après par les Indiens.

De tous les forts du Nord-Ouest, le plus marquant fut celui de Paskoyac. C'était en quelque sorte l'aîné de tous les postes établis à l'ouest sur la Saskatchewan. C'était aussi celui qui entravait le plus le commerce des fourrures destinées à la baie.

Tous les postes français de l'Ouest avaient été construits selon ce modèle. Tandis que les postes anglais bâtis plus tard étaient carrés, les postes français étaient rectangulaires, semblables à un lot dans une ville moderne: 60 pieds de large et 160 de long. L'entrée principale était aménagée sur une des largeurs, côté rivière. Chaque fort était protégé par un épais mur extérieur de 10 pieds de haut fait de rondins hauts de 14 pieds et plantés dans des fossés de trois ou quatre pieds de profondeur. Pour plus de sûreté contre l'ennemi, on aménageait parfois aux quatre coins, des bastions ou des corniches, permettant de voir au-delà des murs extérieurs et, au besoin, de tirer sur l'attaquant.

## L'hypothèse de Brisebois mise en doute

Les maisons à l'intérieur des forts étaient de simples cabines de rondins construites contre le mur extérieur pour tirer le meilleur parti des rondins. La maison ou cabine avait parfois une cave ou un simple trou creusé dans la terre mais toutes avaient une cheminée, bâtie grossièrement de pierres et complétée par un conduit d'aération fait de pieux de peuplier vert cimentés de boue.

Tel était Paskoyac ainsi que probablement le fort La Jonquière, construit sur l'ordre de Saint-Pierre en 1751. L'emplacement de fort soulève plusieurs questions. Où se trouvait-il exactement? Fut-il construit au confluent de la Bow et de l'Elbow? Le site de ce fort français bâti en 1751 est-il l'ancêtre de l'actuelle ville de Calgary? Cette dernière question constitue une théorie avancée par Ephrem Brisebois,

was made a century later by Ephrem Brisebois, a North-West Mounted Police inspector. Answers to some of the questions about Fort la Jonquière lie buried in the obscure past and may never be found, but from such information as is available, it seems unlikely that French activity in the fur trade years reached as far west as the Elbow River.

Still, St. Pierre was eager to extend the area of trade. Why not more posts? The English might denounce the French traders as interlopers in country which belonged to the Hudson's Bay Company by charter, but as long as the Company men clung to their bases on the coast, refusing to bestir themselves to face the hardships of travel in the interior, they could expect nothing else.

Early in 1751, St. Pierre instructed a Paskoyac aide named Niverville to build 300 leagues to the west. The purpose, it seems, was to be moderately near the headwaters of the Missouri River and accessible to the Western Sea whenever a route to it was discovered.

Niverville was ill and decided against going along, but he dispatched 10 men in two canoes. The exact departure date is unknown, but having regard to the usual ice breakup on the river at that point, it could not have been very early in the spring season. It is known that the party was actually building on the selected site on May 29.

The fort was completed and named in honour of the governor of New France, the Marquis de la Jonquière. It was said to be farther west than any previously constructed post. But where? Leaving Paskoyac after the river lost its menacing ice in the spring, the men could not have paddled or would not have paddled upstream as far as the confluence of the Elbow and Bow before May 29. Moreover, if white men had made an appearance at that point on the Bow River, their presence would have become widely known to the Indians. And Anthony Henday, considered by most to be the first white man to see the Canadian Rockies, would have heard about them from the Indians he visited in 1754.

More evidence that challenges Brisebois' theory: St. Pierre wrote about leaving Fort la Reine on the Assiniboine on November 14 of the same year, 1751, intending to visit the new post and make a formal inspection. Walking in

inspecteur dans la Gendarmerie royale du Nord-Ouest, vers 1875, mais, d'après les informations dont nous disposons, il semble peu probable que les Français à la recherche des fourrures soient allés aussi loin à l'ouest que l'Elbow.

Pourtant, Saint-Pierre, voulant donner de l'expansion au commerce, a pu faire construire d'autres postes. Les Anglais avaient beau se plaindre que les Français envahissaient leurs terres entourant la baie d'Hudson, mais tant qu'ils s'accrochaient à leurs bases sur la côte, refusant les risques des voyages à l'intérieur du pays, pouvaient-ils vraiment s'attendre à autre chose?

C'est ainsi qu'au début de 1751, Saint-Pierre ordonne à Niverville, aide de camp à Paskoyac, de construire à 300 lieues à l'ouest, dans le but, semble-t-il, d'être assez près du Missouri pour parvenir à la mer de l'Ouest une fois qu'on aurait découvert une voie d'accès.

Niverville étant souffrant, il décide de ne pas accompagner les 10 hommes qu'il envoie dans deux canoës. La date exacte du départ n'est pas connue, mais vu le moment de la fonte des glaces à cet endroit de la rivière, ce ne peut être trop tôt au printemps. On sait cependant que le 29 mai, le fort est en pleine construction sur le site choisi.

Les travaux terminés, on donne à ce fort le nom du gouverneur de la Nouvelle-France, le marquis de La Jonquière. C'était la première fois, semble-t-il, qu'on construisait si loin à l'ouest. Mais où exactement? En parlant de Paskoyac au printemps après la débâcle, il est impensable que ces hommes aient pu remonter la rivière jusqu'au confluent de la Bow et de l'Elbow avant le 29 mai, sans compter qu'aucun blanc n'aurait pu arriver si loin sur la Bow à l'insu des Indiens. De plus, Anthony Henday, considéré comme le premier blanc à voir les Rocheuses, en aurait certainement entendu parler par les Indiens qu'il rencontra en 1754.

Encore un fait contre la théorie de Brisebois: selon le journal de Saint-Pierre, celui-ci serait parti du fort La Reine sur l'Assiniboine, le 14 novembre de la même année, 1751, pour visiter le nouveau poste et en faire l'inspection. Il aurait été imprudent sinon impossible de partir à pied en hiver vers une destination aussi lointaine que l'Elbow. De fait, il

winter conditions, it would have been an unwise, if not impossible trip, if the destination had been as distant as the mouth of the Elbow. As it was, he turned back when his Assiniboine Indians guides refused to accompany him farther.

Keeping in mind the usual time for river break-up at The Pas, the Paskoyac men might have paddled as far as the forks of the North and South Saskatchewan Rivers, or to the approximate place east of the forks at which Chevalier la Corne built Fort St. Louis two years later. J. B. Tyrrell and A.S. Morton — both reliable students of fur trade history — argue that la Jonquière was probably farther west than la Corne's Fort St. Louis, giving it the rightful distinction of being the most westerly of all trading posts during the French years on the Saskatchewan — but only by 200 yards instead of several hundred miles.

At that point, within the range of vision of a person standing at la Corne's old cellar depressions, is the evidence of an otherwise unidentified post, probably Fort la Jonquière.

**Farthest West for a Frenchman**

Morton has argued that the wooden ruins sighted by Inspector Brisebois at the mouth of the Elbow River in 1875 were those of a house used by a U.S. fur trader about 1833.

In any case, it was just two years after the building of la Jonquière that la Corne paddled away from Paskoyac to a spot about 15 miles below the Saskatchewan forks. On the south side of the river, due north of the modern town of Kinistino, he built Fort St. Louis, another post named to honour of the king.

Up to this time, none but Frenchmen had paddled this far west.

La Corne, born at Fort Frontenac — where the city of Kingston arose — was already a man of distinction. He had fought for France against England in 1749, earning the Cross of St. Louis. Four years later he was needed again and was recalled from the fur country. Fort St. Louis was closed.

**Legend Says Treasure Buried**

It may seem strange to find a man of la Corne's stature indulging in the isolated business of fur trading. A natural

rebroussa chemin quand ses guides assiniboines refusèrent de continuer.

Si on se rappelle la période de la débâcle à Le Pas, les hommes de Pakoyac ont pu ramer jusqu'au confluent de la Saskatchewan du Nord et du Sud ou jusqu'à un endroit à l'est de ce confluent où le chevalier de La Corne bâtit deux ans plus tard le fort Saint-Louis. J. B. Tyrell et A. S. Morton, tous deux experts en histoire du commerce des fourrures, soutiennent que le fort La Jonquière était sans doute plus à l'ouest durant les années de présence des Français en Saskatchewan, mais seulement de quelques 200 verges, non de plusieurs centaines de milles.

En effet, si l'on se tient à l'emplacement des caves du fort de La Corne, on distingue à l'oeil nu les vestiges d'un autre fort, très probablement celui de La Jonquière.

### Le Français le plus à l'ouest

Selon Morton, les ruines en bois que Brisebois a aperçues à l'embouchure de l'Elbow en 1875 sont celles d'une maison utilisée par un trappeur américain aux alentours de 1833.

Quoi qu'il en soit, moins de deux ans après la construction de La Jonquière, La Corne part de Paskoyac pour un endroit à 15 milles au sud du confluent des rivières Saskatchewan. Sur la rive sud, directement au nord de la ville actuelle de Kinistino, il bâtit le fort Saint-Louis, un autre fort en l'honneur du roi.

Jusqu'à cette époque, les Français étaient les seuls à être allés si loin à l'ouest.

La Corne, né au fort Frontenac, la ville actuelle de Kingston, était déjà connu. Il s'était battu pour la France contre l'Angleterre en 1749, et avait reçu la croix de Saint-Louis. Quatre ans plus tard lorsqu'on a de nouveau besoin de lui et qu'on le rappelle, le fort Saint-louis ferme ses portes.

### La légende veut qu'il y ait des trésors

Il peut paraître curieux de trouver un homme du monde tel que La Corne engagé dans le commerce de fourrures. Il n'y a pas de doute que cette vie aventureuse l'attirait, mais ce n'était pas la seule raison: en 1753, l'année où le fort Saint-

fondness for frontier life would furnish the explanation in part. There was another reason. In 1753, the year Fort St. Louis was built, he was appointed commandant of all the French trading posts in the northwest, the post held by de la Vérendrye and St. Pierre before him. It is doubtful that he would live so far from French civilisation just for the money to be derived from the fur trade. In fact, he may have had all the money he needed. There is a legend that he brought considerable wealth with him to the Saskatchewan and that a substantial personal treasure in silver was buried in the ground near his post. If so, it is still there. It is possible that la Corne intended to return to recover his treasure, but he drowned in 1761.

La Corne also distinguished himself in 1754 by planting wheat and other grains and vegetables in a small plot of cultivated ground beside his fort, probably the first cultivation and planting in what is now the wheat province of Saskatchewan — or in the entire mid-west of Canada.

The men of the Hudson's Bay Company at York Factory knew well that the volume of furs coming to them was declining, but it was not until 1755 that they received a first-hand report on the French forts on the Saskatchewan and the techniques employed by the French traders. Anthony Henday brought that report.

It was Henday who responded when the governor at York Factory, finding the inland competition intolerable, called for someone to travel far into the interior to try to persuade the Indians to bring their furs down to the Bay. Henday had grown up on the Isle of Wight where, if he had a profession, it was smuggling — which was reasonably rewarding until he was caught and banished. He hired on with the Hudson's Bay Company for service at its trading establishments on the Bay. He quickly demonstrated an ability to get along well with the Indians.

In June, 1754, with a few Indian friends, he went up the Hayes River to the Nelson at Cross Lake, then across Lake Winnipeg to the Saskatchewan where he found Fort Paskoyac and stopped to visit. The six French occupants were courteous at first, but they came to see Henday as an intruder and questioned his purpose. From his experience in

Louis est construit, il est nommé commandant de tous les forts français du Nord-Ouest, poste occupé par La Vérendrye et Saint-Pierre avant lui. On peut douter qu'il ait accepté de vivre loin de la culture française simplement pour l'argent que lui rapporterait le commerce des fourrures. En fait, il avait peut-être lui-même une grande fortune personnelle. La légende veut qu'il soit arrivé en Saskatchewan avec une fortune et que des trésors en argent soient encore enterrés près du fort. Il se peut que La Corne ait eu l'intention de venir les reprendre mais il se noie en 1761.

C'est lui aussi qui, en 1754, a semé du blé et planté des légumes dans de petits terrains près de son fort. Ce fut sans doute la première récolte dans cette province céréalière qu'est la Saskatchewan, voire dans toute la région centrale du Canada.

Les Anglais, à York Factory, se rendaient bien compte que les fourrures leur parvenaient en moins grande quantité mais ce n'est qu'en 1755 qu'ils ont les preuves de l'existence des forts sur la Saskatchewan ainsi que des méthodes employées par les Français. C'est Anthony Henday qui les mettra au courant.

Celui-ci, à la demande du gouverneur de York Factory qui s'alarmait de la concurrence croissante, part pour essayer de persuader les Indiens d'apporter leurs fourrures jusqu'à la baie. Henday, né à l'Ile de Wight, n'avait d'autre profession que celle de contrebandier, activité fort rentable, jusqu'au jour où il se fit prendre et bannir de l'île. Embauché par la Compagnie de la Baie d'Hudson, il ne tarde pas à se faire des amis parmi les Indiens.

En juin 1754, accompagné de quelques Indiens, il remonte la Hayes jusqu'à la Nelson puis, à Cross Lake, il traverse le lac Winnipeg pour remonter la Saskatchewan. Rendu à Paskoyac, il fait halte pour visiter le fort. Les six occupants du fort sont d'abord très courtois mais ils détectent vite l'intrus et le questionnent sur le but de sa visite. Son expérience de contrebandier l'a bien entraîné à mentir. Aussi répond-il qu'il n'est là que pour "voir le pays", ce à quoi il ne manque pas d'ajouter, qu'après tout, il a autant le droit d'y être que ses interlocuteurs.

smuggling, he would know something about avoiding the truth; he replied that he was there "to view the country". He added with an air of belligerence that he had as much right to be there as the French traders had.

## Sarcastic Exchanges Between Henday, Hosts

As the conversation deteriorated, the French threatened to detain Henday and send him to explain his intentions in France, to which the indignant Henday replied that as one who had never seen France, he could enjoy a trip there. That apparently "cooled" the Frenchmen and out of the sarcastic exhanges came a measure of hospitality, with the French offering Henday a gift of dried meat and Henday reciprocating with "two feet of Brazile tobacco".

Henday and his Indian friends went on their way, abandoning their canoes for a journey by foot which took him close to present-day Saskatoon, perhaps to Stettler and certainly to Pine Lake, where he met a band of Blackfoot Indians and learned they were not interested in making the long journey to trade at Hudson Bay.

Wintering near the location of modern Rocky Mountain House, Henday may well have been the first European to see the Canadian Rockies. But it was on his return the next summer that he made the biggest errors in his relations with the French posts. After the winter in the foothills, he returned downstream on the Saskatchewan with 60 canoes loaded with the kind of pelts that would warm his employers' hearts. He stopped to pay his respects at la Corne's Fort St. Louis, the first of two mistakes.

"The governor came with his hat in his hand", Henday wrote, "but he neither understood me nor I him. He treated me with a glass of brandy and half a bisket. This evening, he gave the Indians two gallons of brandy, but he got very little trade".

La Corne was smarter than Henday realised. When the two gallons of brandy failed to produce an eagerness to trade, the governor came forward with more, 10 gallons in all, enough to produce the desired result. The French trader ended up with most of the prime skins that Henday had

## Une conversation peu amicale

La conversation ne manque pas de dégénérer en dispute et les Français menacent de le faire prisonnier et de l'envoyer en France où il devra expliquer ses intentions. Henday réplique que comme il ne connaît pas la France, cela lui ferait plaisir d'y faire un tour, ce qui semble apaiser les Français. La conversation se poursuit sur un ton moins railleur; on échange même des politesses: les Français offrent de la viande sèche à Henday qui, en retour, leur fait cadeau de "deux pieds de tabac brésilien".

Henday et ses compagnons repartent; ils abandonnent leurs canoës pour continuer à pied ce voyage qui les mène près de ce qui est aujourd'hui Saskatoon, peut-être même plus loin, jusqu'à Stettler et à Pine Lake. C'est à Pine Lake qu'ils rencontrent des Pieds-Noirs qui leur expliquent pourquoi le long voyage jusqu'aux postes de la Baie n'intéresse plus les Indiens.

Henday passe l'hiver à ce qui est aujourd'hui Rocky Mountain House et c'est peut-être bien lui le premier Européen à voir les Montagnes Rocheuses. À son retour, l'été suivant, il commet deux énormes bourdes en passant par les postes français: l'hiver fini, il redescend la Saskatchewan avec 60 canoës chargés de pelleteries superbes, à faire sauter de joie ses employeurs. Il s'arrête saluer La Corne à Saint-Louis, première erreur.

Henday écrit: "Le gouverneur est arrivé, chapeau à la main, mais nous ne nous comprenions pas du tout. Il m'a offert un verre de cognac et une demi-galette. Ce soir-là, il a donné aux Indiens deux gallons de cognac mais aucun marché n'a vraiment été conclu".

La Corne est cependant bien plus astucieux que ne l'aurait soupçonné Henday. Les deux gallons de cognac n'ayant pas eu l'effet voulu, le gouverneur en apporte d'autres, 10 gallons en tout. Il n'en faut pas plus: La Corne obtient la plupart des plus belles peaux que Henday comptait remettre à York Factory. Avec tristesse, celui-ci écrit: "Je suis sûr qu'il a gardé environ mille des meilleures peaux".

Il n'est guère facile de persuader les Indiens de continuer le voyage; après quatre jours de festivités avec le cognac français, ils finissent par repartir. Henday aurait dû avoir sa

intended for York Factory. Sadly, he wrote: "I am certain he hath got about a thousand of the best skins".

It was not easy to get the Indians moving again, but after four days of joyful living on French brandy, they were on their way. Henday should have learned from his experience, but when he reached Paskoyac, he stopped again. Again, he watched as French brandy was brought out and more skins changed hands.

Back at Hudson Bay, Henday had much to report. He had seen the mountains, seen Indians riding horses and seen French traders in action. He had much to say about the French and their winning ways with the Indians, something which would add to the Company's problems in securing trade.

## War's Misfortunes Changed Picture

But as it had happened before, circumstances came to the relief of the English on the Bay. The onset of the Seven Years' War in 1756, coupled with mounting fears of trouble along the St. Lawrence, resulted in some of the French traders, including la Corne, being called back east for duty. A few returned later to the Saskatchewan River, among them François le Blanc, who had worked for la Corne. On his return to the West, he built on the Saskatchewan near the present town of Nipawin. Another Frenchman, Bartholémi Blondeau, came well supplied with trade whisky and built on a beautiful river flat about 20 miles below Fort St. Louis, a post known as Isaac's House or Fort des Prairies.

But because of the misfortunes of war — especially those resulting from the battle of the Plains of Abraham —most of those sons of New France who answered the call to arms never returned to the West.

For all practical purposes, the second chapter of French involvement in the western fur trade had ended.

leçon, mais non, il s'arrête de nouveau à Paskoyac. Et là aussi on échange du cognac français contre des peaux.

De retour à la baie d'Hudson, Henday a beaucoup à raconter. Il a vu les Montagnes Rocheuses, des Indiens à cheval et les Français dans leur pratique du commerce. Il a beaucoup à dire sur ces Français et sur leur savoir-faire avec les Indiens; ces informations vont sûrement ralentir leur commerce.

## Mais la guerre change tout

Comme déjà plusieurs fois auparavant, les circonstances viennent à l'aide des Anglais de la baie. En 1756, à cause de la guerre de Sept Ans et des menaces de difficultés le long du Saint-Laurent, certains hommes, y compris La Corne, sont rappelés à l'Est. Quelques-uns sont revenus plus tard en Saskatchewan; parmi ceux-ci, il y eut un nommé François Le Blanc qui avait travaillé pour La Corne. À son retour dans l'Ouest, il construisit un fort sur la Saskatchewan près de la ville actuelle de Nipawin. Un autre Français, Bartholémi Blondeau, y vint aussi, bien approvisionné en whisky, et bâtit sur un joli terrain plat à environ 20 milles en aval du fort Saint-Louis, un poste connu sous le nom de Isaac's House ou fort des Prairies.

Mais suite aux malheurs de la guerre, particulièrement ceux de la bataille des Plaines d'Abraham, la plupart des Français qui avaient répondu à l'appel des armes ne sont jamais revenus dans l'Ouest.

En fait le second chapitre de l'histoire des Français dans le commerce de fourrures dans l'Ouest avait pris fin.

# 6

## A CERTAIN GLAMOUR SURROUNDED THE VOYAGEUR, BUT HIS LIFE WAS HARSH

The Voyageurs, or French-Canadian canoemen, were the "work-horses" in the fur trade years and the essential "slaves" in the conduct of exploration, all of which suggests that their role was menial. Certainly their tasks were heavy and their hours long, but their services were crucial in the limited economy of the time and those involved never thought of their jobs as anything but important.

Like sailors, cowboys and movie stars they enjoyed a certain aura of glamour, and French-Canadian boys growing up on the long, narrow riverlot farms besides the St. Lawrence — generations before boys entertained dreams of being profesional hockey players, aviators or civil servants — hoped to be voyageurs and paddle away into the mysterious and romantic West, to return like heroes with unbelievable stories of adventures.

### They were Proud, Often Boastful, Men

To be accepted as a voyageur was to be recognised as a robust and versatile fellow. He had to be of medium size because small men might lack the strength and big men took too much valuable space in a canoe. He also needed the muscle to carry one and preferably two 90-pound bales of furs or other freight over a portage and the stamina to maintain a paddling rythm of 50 strokes a minute for 15 or more hours a day.

He might be unschooled and obliged to sign his two or three-year contract with an X, but there could be no doubt about his possession of skill and courage. As an experience voyageur, he would be seen as a man who could "run a rapids" which would fill most men with fear, repair canoes

# 6

## LE VOYAGEUR AVAIT DU PRESTIGE MAIS LA VIE DURE

Les "voyageurs" ou navigateurs canadiens-français ont été les "chevaux de labour" dans le commerce des fourrures et les bêtes de somme dans la course à l'exploration; cela laisse entendre qu'ils n'ont joué qu'un rôle secondaire. Certes leurs tâches étaient lourdes et leurs journées longues, mais leurs services étaient absolument essentiels à la bonne marche de l'économie de cette époque. C'était également l'opinion des voyageurs eux-mêmes.

À l'instar des navigateurs, des cow-boys ou des vedettes de cinéma, ils ont eu, eux aussi, leur auréole de gloire; les jeunes Canadiens français vivant sur les fermes le long du Saint-Laurent, bien avant que les garçons rêvent de devenir joueurs de hockey professionnels, aviateurs ou fonctionnaires, grandissaient dans l'espoir de devenir voyageurs, ce qui signifiait: partir dans l'Ouest mystérieux et romantique, puis revenir en héros et raconter leurs incroyables aventures.

### C'étaient des hommes fiers, souvent vantards

Pour être accepté comme voyageur, il fallait être robuste et doué de tous les talents. Le voyageur devait être de taille moyenne: un homme trop petit n'aurait pas eu la force nécessaire, et un homme trop grand aurait pris trop d'espace dans un canoë. De plus, le voyageur devait non seulement être assez fort pour transporter, le long d'un portage, au moins un et, de préférence, deux ballots de fourrures de quatre-vingt-dix livres, mais également se montrer assez résistant pour pagayer au rythme constant de cinquante coups par minute pendant un minimum de quinze heures par jour.

Même sans éducation et obligé de signer d'un X son

with birch bark and pine gum and take care of himself in the wilds.

As a voyageur, and proud of it, he might indulge in a bit of boasting. He might tell the world that he could paddle all day, dance all night, sing, drink or fight as occasion demanded. If he was entirely typical, he would be a carefree fellow who laughed readily and spent his wages recklessly. But when he was supposed to work, he worked hard and found pleasure in doing it.

The voyageur's profession was a creation of the fur trade. As long as Indians brought their season's catch of furs to the French at Montreal or the English at York Factory, there was no inland transportation problem. But, with the depletion of beaver in the nearby regions, traders were obliged to travel into the interior for pelts and bigger freight canoes had to be constructed and manned. And because Montreal was emerging as capital of the trade, it followed that most of the needed canoemen would be recruited in that area.

### Long Hours Tempted Canoemen to Strike

Farm boys who saw no alternative to habitant living were eager to dress like voyageurs and carry the short red paddle which was the insignia of the paddler's occupation — like a 10-gallon hat and bowed legs to a young cowboy. Indeed, many boys growing up inside the city of Montreal — such as John Rowand who became a trader at Fort Edmonton — turned their backs on opportunities to study for a profession like medicine in favor of a chance to join a North West Company canoe brigade. The Company experienced no difficulty in hiring the hundreds of young men needed to furnish the paddle-power to move its hundreds of tons of furs and trade goods across the country.

Hence, the voyageur's part in nation building was largely a contribution from French Canada. The Hudson's Bay Company needed canoemen too, but transportation problems facing the English company, shipping through York Factory, were small by comparison. In its early years, the Hudson's Bay Company recruited Orkneymen to propel its canoes. It obtained hardy fellows, but they never reached the

contrat de deux ou trois ans, le voyageur s'imposait toujours par son adresse et son courage. Avec de l'expérience, il avait la réputation de pouvoir traverser les rapides les plus dangereux, de réparer les canoës avec de l'écorce de bouleau et de la résine de pin et de survivre dans les contrées sauvages.

Fier de son métier, le voyageur aimait parfois se vanter. Il racontait à tout venant qu'il pouvait pagayer tout le jour, danser toute la nuit, boire, chanter ou se battre, selon les circonstances. Un portrait type du voyageur? Un homme insouciant, dépensier, toujours prêt à rire, adorant son métier et y travaillant dur.

La profession du voyageur est née du commerce des fourrures. Tant que les Indiens ont apporté leurs prises saisonnières de fourrures aux Français, à Montréal, et aux Anglais, à York Factory, le problème de transport intérieur ne se posa pas. Cependant, l'extermination des castors dans les régions proches obligea les trappeurs à pénétrer plus avant à l'intérieur du pays, à construire puis à équiper des canoës de plus grande capacité. De plus, Montréal devenant peu à peu la capitale du commerce, il s'ensuivit que la plupart des hommes nécessaires furent recrutés dans cette région.

## Il leur arrive de se révolter

Les fils de fermiers, pour qui c'était la seule façon de quitter leur terre, avaient hâte de s'habiller en voyageur et de porter la petite pagaie rouge, insigne du voyageur (comme le chapeau de 10 gallons et les jambes de cavalier caractérisent un jeune cow-boy). De nombreux jeunes Montréalais aussi — tels que John Rowand devenu commerçant au fort Edmonton — refusaient d'étudier la médecine, par exemple, parce qu'ils préféraient se joindre à une brigade de canoës de la Compagnie du Nord-Ouest. La Compagnie n'avait aucune difficulté à trouver les centaines de jeunes pagayeurs nécessaires au transport de centaines de tonnes de fourrures et de marchandises à travers le pays.

Par conséquent, c'est surtout le Canada français qui a fourni la plupart des voyageurs qui ont aidé à bâtir la nation. La Compagnie de la Baie d'Hudson avait, elle aussi, besoin de voyageurs, mais, pour cette compagnie anglaise, les problèmes de transport jusqu'à York Factory et la baie étaient

numbers or the distinction of the French-Canadian workers who plied the longer route for the North West Company. Both groups, the Scottish and French voyageurs, left a lasting imprints on the West, but the French, as fathers of most of the western Metis, made the bigger mark.

So far did the French-Canadian reputation for skill as voyageurs go that the Jacob Astor's American Fur Company, with headquarters at New York, sent to the St. Lawrence to hire the kind of men the North West Company had been getting, men with muscle and endurance and the "right frame of mind".

The voyageur's role, for all practical purposes, began with de la Vérendrye's departure from Montreal in 1731 with six canoes and 50 men. By the time the party reached the nine-mile "carrying-place" known later as Grand Portage, on the west side of Lake Superior, the relatively inexperienced canoemen were showing signs of fatigue and threatening one of the country's first labour disputes, forcing de la Vérendrye to change some plans. There were later instances of protest against overwork, but considering the extremely long hours of service, it is strange that strikes were not more numerous.

Spring departure of the canoe brigades from Lachine, just above Montreal, was an event of public importance. The voyageurs, conspicuous with their red paddles and distinctive clothing, strutted proudly. As well as moccasins, each sported leather leggings, a colored woollen shirt, a red cap and either leather trousers or an abreviated garment that was little more than a breech-cloth, depending upon temperature. Always, there was the colored woolen sash tied about the waist and a leather pouch usually hung from the waist. One thing more was distinctively the voyageur's: a short-stemmed pipe.

The Company supplied him with a blanket and provided the needed food. With a daily ration of two pounds of dried peas or pounded corn and a small allowance of fat pork or lard, he would escape hunger if not monotony of fare. The diet could be varied by adding a fish or wild duck or beaver tail to boil with the peas or corn and fat pork. Members of

sans comparaison. Dans les premiers temps, la Compagnie de la Baie d'Hudson recruta des hommes d'Orkney pour leurs canoës. Ils étaient robustes mais n'égalaient cependant jamais la quantité ni la qualité des travailleurs canadiens-français au service de la Compagnie du Nord-Ouest. Les deux groupes, écossais et français, ont chacun marqué l'Ouest de leur passage, mais ce sont les Français qui, en tant que pères de la plupart des Métis de l'Ouest, y laissèrent la plus grande empreinte.

La réputation des voyageurs devint telle que même John Jacob Astor, d'une compagnie de New-York, venait au Saint-Laurent chercher ces hommes dont on appréciait la force, l'endurance et la personnalité.

Le rôle des voyageurs, à toutes fins utiles, commença lorsque La Vérendrye quitta Montréal en 1731 avec six canoës et cinquante hommes. À leur arrivée au Grand Portage, long de neuf milles, sur la côte ouest du lac Supérieur, les voyageurs, pas encore très expérimentés, étaient visiblement très fatigués et menacèrent de déclencher le premier conflit ouvrier du pays, obligeant ainsi leur patron La Vérendrye à changer certains plans. Il y eut, par la suite, quelques protestations contre l'excès de travail, mais si l'on considère les horaires très lourds auxquels ils étaient astreints, il paraît étrange que les grèves n'aient pas été plus nombreuses.

Au printemps, à Lachine — juste au-dessus de Montréal — le départ des brigades de canoës était un événement social d'une grande importance. Les voyageurs, bien en vue avec leurs pagaies rouges et leurs habits distinctifs, se pavanaient fièrement. Chacun d'eux portait des moccasins, des guêtres en cuir, une chemise en laine de couleur vive, une casquette rouge et, suivant la température, soit un pantalon de cuir, soit un vêtement très court, un peu comme un short. Ils portaient toujours une ceinture fléchée et une musette en cuir y était souvent attachée. Enfin, une dernière caractéristique: la pipe à tuyau très court.

La Compagnie fournissait au voyageur une couverture et la nourriture journalière. Il avait droit à une ration quotidienne de deux livres de pois secs ou de maïs pilé et à un peu de graisse de porc ou de saindoux. C'était un menu plutôt

one canoe crew normally pooled their rations to be boiled together.

### Certain "Formalities" Observed — or Else

West of Grand Portage, the voyageur's dietary staple was pemmican, that almost universal food dish of the region, prepared by mixing dried and pounded buffalo meat with melted fat and perhaps saskatoon berries. It was high in calories and protein and voyageurs were always ready to perjure themselves by saying they liked it. Except when it was cooked with a flour soup and called rubbaboo, there was not much alternative.

It was not a contractual part of the daily fare, but after an unusually trying day or portage, men looked for a nip of brandy as a night-time bonus.

As voyageur diets differed between east and west, so did their canoes. The birch bark canoe, in the first instance, was an Indian invention and the traders simply enlarged upon the native type. The ones used as far west as Grand Portage, the Montreal canoes, were the biggest, each about 36 feet long and capable of carrying up to three tons of freight in addition to a 12-man crew. Skillfully cased in birch bark and sealed at the joints with pine gum, they were things of wonder, weighing only 300 pounds each. Although strong enough to carry heavy loads in the water, they were vulnerable to injury if the bottom scraped on gravel or struck sharp rocks.

Westward from Grand Portage, where streams are smaller, a slightly smaller canoe was adopted. Known as the North canoe, it was about 25 feet long with a carrying capacity of two tons and an 8-man crew. It was carried on portage by just two men.

Both east and west, the important personalities in the voyageur crew were the bowsman, who sat with a bigger paddle at the forward end enjoying the rather relaxed role of boss or pilot, and the steerman, who with a longer paddle, stood conspicuously at the stern.

There were certain formalities on the journey west from Montreal which were not to be overlooked. The first stop was at St. Anne's Church at the west end of Montreal

monotone mais suffisant. Le régime pouvait varier en ajoutant aux pois ou au maïs et à la graisse soit un poisson, soit un canard sauvage, ou encore la queue d'un castor. En général, tous les membres d'un équipage faisaient cuire leur ration dans la même marmite.

## On se devait de suivre certains rituels — ou gare

À l'ouest de Grand Portage, l'aliment principal du voyageur était le pemmican, mets régional, qui consistait en viande de bison séchée et pilée, mélangée à de la graisse fondue et parfois à des baies de Saskatoon. C'était un mets très riche en calories et protéines, pour lequel les trappeurs n'hésitaient pas à se parjurer en disant combien ils aimaient cet aliment. Parfois ce pemmican cuisait dans une soupe à base de farine — on l'appelait alors le rubbaboo — mais c'était la seule variante.

Après un long portage ou une journée particulièrement éprouvante, sans que cela fasse partie de leur ration quotidienne, les hommes recevaient en prime un peu de cognac.

De même que les régimes alimentaires qui différaient de l'ouest à l'est, les canoës variaient aussi. Le canoë en écorce de bouleau, utilisé à l'est, était une invention indienne à l'origine; les voyageurs se contentaient d'en faire de plus grands modèles. Les canoës de Montréal, allant aussi loin à l'ouest que Grand Portage, étaient les plus grands: longs de 36 pieds environ, capables de soutenir jusqu'à trois tonnes de cargaison et douze membres d'équipage. C'étaient de vraies merveilles; ils ne pesaient que trois cents livres chacun, avaient une coque en écorce de bouleau et des joints scellés de résine de pin. Bien qu'assez robustes pour porter de gros chargements, ces embarcations s'endommageaient facilement si le fond râclait les graviers ou frappait des rochers.

À l'ouest de Grand Portage, là où les cours d'eau étaient moins importants, on se servait d'un canoë un peu plus petit, appelé canoë du Nord. Cette embarcation de vingt-cinq pieds de long pouvait transporter jusqu'à deux tonnes, en plus des huit hommes d'équipage. Deux hommes suffisaient à le transporter lors d'un portage.

À l'ouest, comme à l'est, deux des hommes de l'équipage jouaient un rôle important: le patron ou pilote assis à l'avant

Island, where a few pennies were contributed and the blessing of the saint invited. If the stop would buy protection on a trip with known dangers, the investment could be a good one. Then, if a company officer was on hand for his first trip, he was called on to produce a taste of rum for members of the crew or was subjected to a formal baptism in the river. The rum was generally forthcoming, removing the necessity of an immersion.

### "Halfway House" Meant Merriment

The canoe course led from the St. Lawrence into the Ottawa and on to Mattawa, Lake Nipissing, Georgian Bay and Lake Superior. There were more than 300 portages before the big lakes were reached. The only chance of relaxation was in harnessing the wind. Each canoe carried an oilcloth, handy for protecting bales of freight against rain and available as a sail when winds were favorable. The best chance of employing a sail was on the lakes. Without wind and in still waters, the paddlers were expected to progress at about five miles an hour.

Finally, there was fearful and wonderful Grand Portage, a collection of log buildings on Lake Superior's western shore. If Montreal was to become the most important community in the fur traders' world, Grand Portage would be the most exciting rendez-vous in the voyageurs' world. As the North West Company became well organised and trade expanded, Grand Portage assumed growing importance as the geographic midpoint of the North American industry, the "halfway house" in the long hauls between Montreal and remote places like Fort Edmonton and Athabasca.

### Arguments Settled with Voyageur Fists

As a midcontinental transfer point, Grand Portage became the western terminus for the Montreal canoes and Montreal canoemen and the eastern terminus for the brigades from the far northwest. Thus, it also became the most convenient place for North West Company officers from Montreal to meet wintering partners from far western points. It was the obvious location for an annual meeting when trade would be reviewed and plans drawn for the year

du canoë avec une plus grosse pagaie et le timonier qui, avec une pagaie plus longue, se tenait à l'arrière.

Au cours des voyages à l'ouest de Montréal, certains rituels n'étaient pas à négliger. Le premier arrêt avait lieu à l'église Sainte-Anne, à la limite ouest de l'île de Montréal, où chacun remettait quelques sous et invoquait la protection d'un saint. C'était un rite indispensable pour de si longs et dangereux voyages. De plus, lorsqu'un officier était en charge de son premier voyage, c'était la coutume d'offrir une tournée de rhum aux membres de l'équipage, sinon, il se faisait dûment baptiser dans le fleuve. En général, il préférait éviter l'eau et offrir le rhum.

### Rendez-vous au relais à mi-chemin

Le parcours en canoë se faisait du St-Laurent à l'Ottawa, puis sur la Mattawa, le Lac Nipissing, la baie Georgienne et le lac Supérieur. Il fallait traverser plus de trente portages avant d'arriver aux Grands Lacs. Le vent procurait les seuls moments de repos. Chaque canoë était muni d'une toile cirée, utilisée non seulement pour protéger les ballots de cargaison de la pluie, mais également comme voile lorsque les vents étaient favorables. C'est surtout sur les lacs que la voile pouvait servir. Sans vent et sur des eaux calmes, les pagayeurs devaient avancer à une vitesse d'environ cinq milles à l'heure.

Il y avait enfin Grand Portage, ensemble merveilleux mais effrayant de constructions de rondins, sur la côte ouest du lac Supérieur. Si Montréal devint par la suite la plus importante communauté dans le commerce de fourrures, Grand Portage était alors le point de rendez-vous le plus excitant pour les voyageurs. Une meilleure organisation de la Compagnie du Nord-Ouest et l'épanouissement du commerce donnèrent à Grand Portage une importance croissante. L'endroit, en effet, était le carrefour géographique des régions industrialisées de l'Amérique du Nord, un relais à mi-chemin entre Montréal et ces endroits lointains qu'étaient Fort Edmonton et Athabasca.

### Les disputes se réglaient à coups de poing

Étant le point de correspondance au centre du pays,

ahead. It was quite common, therefore, for the brigades from Montreal and those from the far west, aiming to be at Grand Portage about the same time at midsummer, to be carrying officials, bourgeois or partners, half hidden by bales of freight and conspicuous only by the slightly better clothes they were wearing.

They were great days when the eastern and western crews met at the long portage which gave the place its name, to exchange greetings and cargoes, then to celebrate in any manner that circumstances would allow.

Nobody looked forward to the gruelling job of carrying tons of fur in bales eastwards over the nine-mile height of land between Pigeon River and the big lake, nor was it any easier to convey the tons of trade goods over the same nine-miles westwards. But there was no alternative and nothing could be gained by grumbling. Instead of making complaints, the voyageurs accepted this as the best possible place at which to demonstrate that extra bit of individual strength and endurance of which they all liked to brag. To make their claims to superiority convincing, men struggled with two or three bales when they knew they were required to carry only one. The man carrying a single bale might jog with it — provided he had spectators who were likely to be impressed.

But when the job was finished, the North West Company's log emporium became the scene of merriment, with an abundance of such foods as were available — mostly wild meats — enough French brandy to make the men forget their aching muscles and French songs to fill the forest wilderness with joyful echoes. There were tall stories of adventure, boasts without restraint and arguments that could be settled only with hard voyageur fists.

Now and again the muscular superiority of the pork-eaters from the East or the pemmican-eaters from the West was called into question and had to be resolved by the same means, but with everybody participating, free-for-all style. Still, the matter of the better diet or the better area for supplying voyageurs remained in doubt, and after the exuberance of the moment was spent, men returned to the final hours of relaxed eating and drinking before they would find

Grand Portage devint non seulement le terminus de l'Ouest pour les canoës et voyageurs montréalais, mais aussi le terminus de l'Est pour les brigades venues du lointain Nord-Ouest. Grand Portage devint ainsi le lieu idéal de ralliement pour les dirigeants montréalais de la Compagnie du Nord-Ouest et leurs collègues des points éloignés de l'Ouest. C'était donc l'endroit choisi pour les rencontres annuelles où les questions de commerce étaient discutées et de nouveaux plans, concernant l'année suivante, envisagés. Comme tous désiraient arriver à Grand Portage vers le milieu de l'été, il était courant de voir les brigades montréalaises et celles de l'Ouest transporter les personnalités, les bourgeois et les associés qui, cachés derrière les ballots de cargaison, ne se distinguaient que par leurs vêtements de meilleure qualité.

Ces rencontres au long portage — d'où lui vient son nom — entre les équipages de l'Est et ceux de l'Ouest étaient de grandes occasions. Ils échangeaient alors des souhaits et des cargaisons, puis organisaient toutes sortes de joyeuses festivités.

Personne ne raffolait de cette terrible corvée qui consistait à porter des tonnes de ballots de fourrures vers l'Est, de Pigeon River jusqu'au grand lac, à neuf milles de là; et bien entendu, il était tout aussi éreintant de parcourir ce même chemin en sens inverse chargé, cette fois, de tonnes de marchandises. Mais on n'avait pas le choix et rien ne servait de se plaindre. Chacun faisait donc contre mauvaise fortune, bon coeur. Les voyageurs considéraient qu'après tout, c'était le meilleur endroit où faire montre de sa force et de son endurance. Ils aimaient se vanter et, pour montrer leur supériorité, se débattaient avec deux ou trois ballots quand ils n'étaient tenus à n'en transporter qu'un seul. Celui qui n'avait qu'un ballot transportait son chargement au pas de course, dans le but, bien sûr, d'impressionner la galerie.

La tâche accomplie, l'entrepôt de la Compagnie du Nord-Ouest devenait la scène de réjouissances où la nourriture, le gibier surtout, et le cognac français abondaient. Les hommes en oubliaient alors leurs muscles endoloris et l'écho joyeux des chansons françaises emplissait la forêt. C'est là que commençaient de formidables histoires d'aventures, des

the fount of their frivolity being turned off to sober them up for the return to their canoes. All too soon, they would be paddling back to places they left in the spring, leaving Grand Portage to desolation for another year.

When it was discovered that Grand Portage was on the U.S. side of a poorly-marked boundary, the North West Company abandoned the place and built at the mouth of the Kaministikwia River, calling the new quarters Fort William in honor of William McGillivray, the head man in the Montreal-based organization. With the support of partners and voyageurs, Fort William — recently reconstructed at great expense — managed to live up to the tradition developed at Grand Portage.

These hard-muscled men of the fur trade, hand-picked from St. Lawrence farms, were versatile. Men who could pack, paddle, fight, build forts, repair canoes and live off the land would never be idle on the frontier. Those who left the Company's service in the West, as many did, made good servants for the explorers, good soldiers when the need arose, and good settlers.

### Voyageurs Made Respected Soldiers

Early in the War of 1812, the North West Company offered its voyageurs for military purposes. The government accepted and raised the Corps of Canadian Voyageurs which fought in two important engagements before being disbanded on March 1, 1815. There were probably no better soldiers in the war, and their prestige was indicated by the number of prominent people who sought to be named honorary officers, especially from the North West Company. The Nor' Westers produced Major Archibald Norman McLeod, Captain Duncan Cameron, of Red River, Captain Cuthbert Grant, leader of the Metis, and Lieutenant Alexander Macdonell, a disturbing influence at Qu'Appelle, all glad to enjoy some reflected glory from the voyageurs.

With the merger of the Hudson's Bay Company and the North West Company in 1821, the voyageurs also caught the eyes of various travellers and explorers of note. As long as watercourses were the country's best highways, the men

vantardises épiques et... des disputes qui ne pouvaient se régler qu'à coups de poing.

La supériorité musculaire des mangeurs de porc de l'Est et des mangeurs de pemmican de l'Ouest était alors remise en question et les meilleurs arguments s'échangeaient au cours des bagarres rangées où les deux groupes rivaux s'affrontaient. On ne vidait jamais la question quant au meilleur régime alimentaire ou au meilleur endroit où recruter des voyageurs, mais, à bout d'énergie, les hommes passaient le temps qu'il leur restait à manger et à boire tranquillement. Les moments de délire passés, ils revenaient à leur canoë et repartaient à regret vers les endroits quittés au printemps. Grand Portage redevenait alors désert pendant toute une année.

Lorsqu'on apprit que Grand Portage se trouvait, en fait, de l'autre côté de la frontière des États-Unis, ce poste fut alors abandonné. La Compagnie du Nord-Ouest installa ses quartiers à l'embouchure de la rivière Kaministikwia et appela le lieu "Fort William", en l'honneur de l'organisateur de la base montréalaise, William McGillivray. Grâce aux associés et aux voyageurs, Fort William, récemment reconstruit à grands frais, réussit à vivre selon la tradition développée à Grand Portage.

Ces hommes musclés, choisis dans les fermes du St-Laurent, avaient des aptitudes diverses: ils savaient emballer les chargements, pagayer, se battre, construire des forts, réparer des canoës et même cultiver la terre; ils n'allaient jamais manquer de travail. Ceux qui quittèrent la Compagnie du Nord-Ouest rendirent de grands services aux explorateurs. Ce furent aussi de bons fermiers, et le cas échéant d'excellents soldats.

### Les voyageurs sont des soldats respectés

Au début de la guerre de 1812, la Compagnie du Nord-Ouest offrit ses voyageurs à l'armée. Le gouvernement accepta l'offre et institua le "Corps des Voyageurs Canadiens" qui combattit sur deux fronts importants avant de se séparer le 18 mars 1815. Ce furent sans doute les meilleurs soldats dans cette guerre et leur prestige a poussé bien des hommes de marque à se faire décerner le titre d'officier par la

who knew them intimately and knew how to meet the fast current and dangerous rapids were bound to be in demand.

## Simpson's Trips Meant Early Start

George Simpson, as governor of Rupert's Land for almost 40 years, was always in a hurry and insisted on having the best canoes and canoemen. He liked to have a crew of French-Canadian paddlers. He was a hard master, demanding up to 18 hours of travel a day, but voyageurs still wanted to work for him.

On his annual tour of Company posts in 1828, for example, he left York Factory on Hudson Bay with two canoes and 18 canoemen, a Scottish piper and Chief Factor Archibald McDonald who kept a diary. Departure time was recorded as 1 a.m. on July 12. After a week of paddling and tracking, the party reached Norway House and turned west. It paused at Cumberland House and all the Hudson's Bay posts on the Saskatchewan and beyond. Ninety days after leaving the base on Hudson Bay — with 14 days spent on inspection at posts along the way — the Simpson canoes were at Fort Langley, practically at the Pacific. Starting generally at Simpson's favourite time, between 2 a.m. and 3 a.m., the canoes made from 40 to 50 miles a day. And, in spite of such schedule, the tireless voyageurs in the two canoes could not resist the temptation to indulge in occasional racing along the way.

What of the great exploration ventures conducted in the West? How far would Alexander Mackenzie — later sir Alexander — have gone in his journey down the river bearing his name in 1789 if he did not have men of the voyageurs breed to handle his canoes? Could he have reached the Pacific in 1793 without the same kind of voyageur assistance? The answer should be obvious. The same question could be asked about Simon Fraser's extremely dangerous trip in 1808 down the river now carrying his name.

## Canoe Smashed But No Lives Lost

Setting out early in the season with four canoes, two Indians and 19 voyageurs, Fraser found comparatively little navigation trouble in the upper parts of the river. But the

Compagnie du Nord-Ouest en particulier. C'est ainsi qu'elle a nommé: le major Archibald Norman McLeod, le capitaine Duncan Cameron de Red River, le capitaine Cuthbert Grant, chef des Métis, et le lieutenant Alexander MacDonell (qui exercera une influence néfaste à Qu'Appelle); tous furent heureux de refléter un peu de la gloire des voyageurs.

Avec la fusion, en 1821, des Compagnies de la Baie d'Hudson et du Nord-Ouest, les voyageurs attirèrent aussi l'attention de divers explorateurs notoires. Tant que les cours d'eau furent les meilleures voies du pays, ces hommes qui connaissaient à fond les courants et les rapides dangereux, ne manquèrent jamais d'être sollicités.

### Les voyages de Simpson

Georges Simpson, gouverneur de Rupert's Land pendant presque quarante ans, était un homme impatient tenant à avoir les meilleurs canoës et les meilleurs hommes. Il aimait s'entourer de voyageurs canadiens-français. Bien qu'il ait été un maître très dur, exigeant dix-huit heures de travail par jour, les voyageurs acceptaient quand même de travailler pour lui. En voici un exemple.

À sa visite annuelle des postes de la Compagnie, en 1828, George Simpson quitta York Factory sur la baie d'Hudson avec 18 pagayeurs, un joueur de flûte écossais et Archibald McDonald, responsable du journal de bord. Le départ eut lieu à une heure du matin le 12 juillet. Après avoir pagayé pendant une semaine, le groupe atteignit Norway House, puis fit route vers l'ouest. La brigade fit une courte halte à Cumberland House et à tous les postes situés sur la Saskatchewan et même au-delà, et appartenant à la Compagnie de la Baie d'Hudson. Quatre-vingt-dix jours après avoir quitté la baie d'Hudson, dont 14 jours passés à l'inspection des postes le long du parcours, les canoës de Simpson se trouvèrent à Fort Langley, c'est-à-dire pratiquement sur la côte du Pacifique. Partant généralement à l'heure favorite de Simpson, c'est-à-dire entre deux et trois heures du matin, les canoës avançaient à raison de quarante ou cinquante milles par jour. Malgré un tel emploi du temps, les pagayeurs, infatigables, ne pouvaient résister à la tentation d'une course de temps à autre, pour le plaisir.

farther he went, the more dangers he met. At times, as he confessed, he and his men seemed to face certain destruction, their lives hanging "as it were upon a thread". Those who have seen the lower Fraser, where the big river is forced into a contracted, rock-lined channel to boil in apparent anger, will know what the explorer meant when he wrote of his surroundings as "so wild that I cannot find words to describe our situation at times". But the voyageurs stood with their leader. One canoe was dashed to pieces, but no lives were lost.

Fraser, as a result of the dangerous and historic trip, won widespread praise for his courage, and he deserved it. But did he, one may inquire, deserve any more praise that the unnamed voyageurs who accompanied with great risks to themselves and by whose skills the expedition reached its goal?

After 1821, the new and amalgamated Company had too many servants and many of the French-Canadian voyageurs were offered land on the east side of the Red River, in the general vicinity of present-day Winnipeg. In accepting, the men came with their Indian wives and settled, or they came to settle and then look for Indian wives, In either case, they and their Metis children accounted for a large proportion of the population of early Manitoba. Like their fathers, the halfbreed sons and daughters spoke French and had very strong French-Canadian loyalties.

Mais parlons aussi des grandes aventures d'exploration dirigées vers l'ouest. Jusqu'où Alexander McKenzie, appelé par la suite Sir Alexander, aurait-il pu aller en 1789, sur le fleuve qui porte son nom, s'il n'avait pas eu de ces voyageurs pour diriger les canoës? Aurait-il pu atteindre la côte du Pacifique, en 1793, sans l'aide et l'assistance de ces mêmes voyageurs? Les réponses nous semblent être évidentes. Les mêmes questions peuvent se poser pour Simon Fraser à propos de son voyage extrêmement dangereux sur le fleuve qui porte aujourd'hui son nom, et qu'il descendit en 1808.

### Accident de voyage

Se mettant en route en début de saison avec dix-neuf voyageurs, deux Indiens et quatre canoës, Fraser ne rencontra presque pas de problèmes de navigation dans le cours supérieur du fleuve; mais plus il avançait, plus il y avait de dangers. Ainsi qu'il le dit lui-même, il eut parfois l'impression ainsi que ses hommes, de faire face à une mort certaine, leur vie ne tenant plus qu'à un fil. Ceux qui ont vu le cours inférieur du Fraser, là où le fleuve s'étrangle soudain dans un étroit goulot de parois rocheuses et semble se débattre de colère, comprendront ce que l'explorateur voulait dire lorsqu'il écrivait: "Notre situation est si périlleuse que je ne trouve pas toujours les mots pour la décrire". Pourtant les voyageurs n'abandonnèrent pas leur chef. L'un des canoës fut mis en pièces mais tout l'équipage fut sauf.

Fraser, après cette expédition dangereuse et historique, reçut de toutes parts des louanges pour son courage, et il les méritait certainement. Mais, peut-on se demander, méritait-il qu'on le loue plus que ces voyageurs inconnus, qui non seulement l'ont accompagné à leurs risques et périls, mais qui, grâce à leur adresse, ont fait de l'expédition un succès?

Après la fusion des deux compagnies mentionnées ci-dessus en 1821, la nouvelle compagnie avait trop de voyageurs et offrit à beaucoup d'entre eux des terres sur la rive est de la rivière Rouge, aux alentours de ce qui est maintenant Winnipeg. Ceux qui acceptèrent l'offre vinrent s'y installer avec leur femme indienne ou bien s'installèrent d'abord et épousèrent ensuite une Indienne. Quel que soit le cas, les

*L'encampement des voyageurs*

voyageurs et leurs enfants métis constituent une bonne partie des premiers habitants de la province du Manitoba. Comme leurs pères, ces garçons et ces filles parlaient français, demeurant fidèles à leur héritage canadien-français.

*Jean-Baptiste Lagimodière et Marie-Anne Gaboury*

# 7

## HEROIC VOYAGEUR-AND-WIFE TEAM NOTCHED A FIRM PLACE IN CANADIAN HISTORY

Jean-Baptiste Lagimodière, who came as a voyageur and accepted the West, and Marie-Anne, who came as his wife six years later and never returned east, displayed the stirling stuff of which heroes and heroines are made. It is doubtful that any husband and wife combination in Western history did more to earn a place in Canadian memory.

Singly and together, the Lagimodières were national trailblazers. It was Jean-Baptiste who became the principal provider of buffalo meat when newcomers to Lord Selkirk's Red River settlement faced impossible starvation. And it was he, who, when the settlement was threatened with destruction by its enemies, ran the appeal for help from Colin Robertson at Red River to Lord Selkirk at Montreal, making most of the trip on snowshoes.

Marie-Anne is remembered as the first white woman to become a homemaker in the West. She and Jean-Baptiste became the parents of the first legitimate white baby in what is now Manitoba, the first white baby in what is now Saskatchewan, and the first white baby is what is now Alberta. What more could be needed to give those pioneers with French names a place of honour in frontier history?

### Coy Glances First; Romance Came Later

Both were born in Maskinongé, on the north side of the St. Lawrence between Three Rivers and Montreal. As a boy, Jean-Baptiste, who could outrun, outswim and outpaddle any other of his age, hoped to become a voyageur. Marie-Anne was just another little girl who would some day make a good wife for a habitant farmer.

# 7

## UN VOYAGEUR ET SA FEMME: DEUX HÉROS ANCRÉS DANS NOTRE MÉMOIRE

Un voyageur, Jean-Baptiste Lagimodière, qui adopta l'Ouest, et sa femme Marie-Anne, venue six ans plus tard sans jamais retourner dans l'Est, ont fait preuve de qualités exceptionnelles dignes de héros. Aucun autre couple ne mérite à ce point une place dans l'histoire de l'Ouest du Canada.

Ensemble ou individuellement, les Lagimodière ont été de vrais pionniers. C'est lui qui fournit de la viande de bison aux nouveaux venus à Rivière-Rouge quand ceux-ci furent à court de vivres. C'est encore lui qui vola à leur secours lorsque l'ennemi les menaça: il quitta Rivière-Rouge, chargé par Colin Robertson d'aller chercher du renfort auprès de Lord Selkirk à Montréal; c'est sur des raquettes qu'il accomplit une bonne partie de ce voyage.

Marie-Anne fut la première femme blanche à s'établir dans l'Ouest. Elle et Jean-Baptiste devinrent les parents du premier enfant blanc légitime dans les provinces actuelles du Manitoba, de la Saskatchewan et de l'Alberta. Que faut-il dire de plus? Ces pionniers au nom français ont la place d'honneur dans notre histoire.

### Premiers regards timides, et plus tard l'amour

Tous les deux sont nés à Maskinongé, sur la rive nord du St-Laurent, entre Trois-Rivières et Montréal. Dès sa jeunesse, Jean-Baptiste courait mieux et nageait plus vite que tous les garçons de son âge et rêvait déjà de devenir voyageur. Marie-Anne, elle, n'était qu'une petite fille comme les autres qui deviendrait une bonne ménagère pour quelque fermier des environs.

Les deux avaient échangé quelques regards timides

The two had exchanged coy glances but had never spoken to each other when, in the spring of 1801, Jean-Baptiste ventured into the little-understood West with a North West Company brigade. For most of the voyageurs, Grand Portage was the "point of turn-around", but Jean-Baptiste arranged a transfer from the big Montreal canoe which would go back to the St. Lawrence to one of the smaller North canoes returning to the West, perhaps Fort Augustus, perhaps Pembina — it did not matter much. As it turned out, the canoe to which he was assigned was directed to Pembina. It left the main body of the brigade in Lake Winnipeg, then proceeded up the Red River, past the mouth of the Assiniboine where de la Vérendrye, 63 years earlier, had built Fort Rouge. Two more days of paddling brought the party to its destination.

At Pembina, Jean-Baptiste became a freeman, free to hunt, trap and sell his fur to either the North West Company or the Hudson's Bay Company — and to find a congenial Indian girl to share his tent. It took a while for a young man raised in the restraining atmosphere of Maskinongé to accept the free, wild ways of the traders and freemen, but he adjusted and came to feel completely at ease.

After almost five years, he found himself longing to see Maskinongé and his old friends again. With the North West Company sending furs back to Montreal regularly each spring, it was a simple matter to revert to the role of voyageur and sign on.

## West Magnetism Lured Jean-Baptiste

Maskinongé had not changed much nor had Jean-Baptiste's friends and relatives. The little girl Marie-Anne Gaboury, whom he had almost forgotten, was much more mature and prettier, and she was among those who whispered wistfully, "Jean-Baptiste is back. He looks so strong and bronzed and handsome".

At a neighbourhood party, Jean-Baptiste and Marie-Anne were introduced formally for the first time. The flames of romance were rekindled and their paths crossed rather often thereafter. Jean-Baptiste, who had been talking incessantly about the West, was suddenly showing an inter-

mais ne s'étaient jamais parlé quand, au printemps de 1801, Jean-Baptiste part à l'aventure dans l'Ouest avec une brigade de la Compagnie du Nord-Ouest. Alors que la plupart des voyageurs font demi-tour à Grand Portage, Jean-Baptiste se débrouille pour quitter le grand canoë à destination de l'Est et se faire engager sur l'un des plus petits canoës en partance pour l'Ouest, Fort Augustus ou Pembina, peu importe. Le canoë où il se trouve finit par se diriger vers Pembina. Ce canoë quitte le gros de la brigade au lac Winnipeg et remonte la rivière Rouge, passe l'Assiniboine où, soixante-trois ans auparavant, La Vérendrye avait construit Fort Rouge. Deux jours plus tard, le canoë arrive à destination.

À Pembina, Jean-Baptiste devient un homme libre: il vit de chasse, de piégeage et vend ses fourrures soit à la Compagnie du Nord-Ouest ou bien à la Compagnie de la Baie d'Hudson; il est également libre de trouver une jeune Indienne avec qui partager sa tente. Élevé dans le milieu fermé de Maskinongé, il lui faut quelque temps pour accepter les façons plus libres des hommes de son entourage, mais il s'y fait et s'y adapte parfaitement.

Mais, au bout de cinq ans environ, il lui prend l'envie de revoir Maskinongé et ses vieux amis. Comme la Compagnie du Nord-Ouest envoie ses fourrures à Montréal chaque printemps, Jean-Baptiste reprend simplement son rôle de voyageur et se rengage.

## L'Ouest appelle Jean-Baptiste

Maskinongé n'a pas beaucoup changé; sa famille et ses amis non plus. La petite Marie-Anne Gaboury, qu'il avait presque oubliée, a grandi et est devenue jolie. Elle est de celles qui murmurent: "Jean-Baptiste est de retour; il est si fort, si bronzé et si beau".

Lors d'une fête du voisinage, Jean-Baptiste et Marie-Anne font réellement connaissance. Ils s'aiment et se revoient très souvent par la suite. Jean-Baptiste, qui n'avait parlé que de l'Ouest, pense maintenant à se marier et à fonder un foyer. Cette idée plaît à Marie-Anne: ils vont s'établir sur une ferme le long du St-Laurent, élever beaucoup d'enfants et vivre heureux. Tout le monde dans la région pense que ce

est in getting married and making a home. Marie-Anne liked the idea. They would settle on one of the long river farms and raise a lot of children and be very happy. Everybody in the district thought it would be a good union and on April 21, 1806, Jean-Baptiste and Marie-Anne were married.

They were indeed happy — at least for a few months, until Jean-Baptiste felt again the magnetic pull of the West. Knowing how the idea would frighten his wife, he kept it to himself for weeks, tried to talk himself out of it, as it were. But the urge would not leave and he felt compelled to tell her.

"Marie-Anne," he said haltingly, "you won't like this, but I have to go back to the Red River. I can't live in these parts, but I'll arrange everything so you'll be comfortable here and someday I'll return and then we'll make a good home, your way."

## Angry Outburst did not Deter Her

He was right in thinking that his wife would be upset. She was horrified at his words and the tears flowed freely. How could he leave her at this early point in their marriage? What should she do? She composed herself and in the next few days she thought deeply, prayed, consulted her priest, then found new courage with which to confront her husband.

"Jean-Baptiste," she said firmly. "Now I have something to tell you. If you must go back to that far country, I go too."

If Marie-Anne had been shocked by his words, he was now shocked by hers and he erupted in anger.

"You fool. You can't go west. There has never been a white woman in that country. You wouldn't survive. If you didn't die on the way, you'd die when you got there. Now you better forget about that."

She eyed her husband with an authority he had not seen before. Gone were the tears.

"Jean-Baptiste," she said solemnly, "didn't you hear what I said? If you go, I go too. Now, don't bother saying anymore."

It was a difficult decision, but he accepted it and the North West Company agreed to make a place in a canoe for a

sera une bonne union, et le 21 avril 1806, Jean-Baptiste et Marie-Anne se marient.

Ils sont très heureux, tout au moins durant les premiers mois, jusqu'à ce que Jean-Baptiste sente à nouveau l'appel irrésistible de l'Ouest. Comme il sait que cette idée fera peur à sa femme, il ne dit rien pendant quelques semaines, essayant de taire son désir de partir. Il n'y réussit pourtant pas et annonce un jour à sa femme: "Marie-Anne, tu ne vas pas aimer ce que j'ai à dire, mais je ne peux pas vivre ici, dans la région; je dois retourner à la Rivière-Rouge. Je vais m'arranger pour que tu ne manques de rien et que tu puisses vivre ici confortablement; quand je reviendrai, alors nous vivrons à ta façon".

## Marie-Anne se montre inflexible

Il avait raison de penser que cela ne plairait pas à sa femme. Elle est bouleversée et éclate en sanglots. Comment pouvait-il la quitter si peu de temps après leur mariage? Que va-t-elle faire? Marie-Anne se calme d'abord. Les jours suivants, après avoir beaucoup réfléchi, prié et consulté un prêtre, elle trouve le courage d'affronter son mari: "Jean-Baptiste", lui dit-elle fermement, "je veux te parler. Si tu pars dans ce pays lointain, je veux y aller aussi".

Si Marie-Anne a été choquée par les paroles de son mari, Jean-Baptiste l'est autant par les siennes et il se met en colère: "Tu es folle, tu ne peux pas venir dans l'Ouest. Il n'y a jamais eu de femme blanche dans ce pays, tu ne survivrais pas. Et si tu ne mourais pas en route, tu mourrais à ton arrivée. Tu ferais mieux de ne plus y penser".

Elle fixe son mari d'un regard autoritaire qu'il ne lui a encore jamais vu. Elle ne pleure plus. "Jean-Baptiste", dit-elle gravement, "tu ne m'as pas entendue. Si tu pars, je pars avec toi. Ce n'est plus la peine d'en parler".

C'est une décision difficile mais il s'y résout et la Compagnie du Nord-Ouest accepte d'emmener une femme, à condition qu'elle porte elle-même ses bagages et qu'elle ne deivenne pas un fardeau pour le reste de l'équipage.

## Marie-Anne a peur

La brigade dont elle fait partie accomplit les vingt-six

woman, it being understood that she would not allow herself to become a burden to the men. She would carry her own belongings.

**Voyageur Celebrants Scared Marie-Anne**

The brigade, in which she was a passenger, made the usual 20 portages between Lachine and Georgian Bay, was ambushed by Indians from the riverside bushes, and lost some crew members in a storm on Lake Superior. Marie-Anne was frightened, but the party reached Fort William which, by 1807, had replaced Grand Portage as the "halfway house". It was pleasant to get away from the cramped position demanded by the canoe, but the boisterous conduct of the celebrating voyageurs frightened her more than the Lake Superior storm had and she was relieved to move on west, passing Lake of the Woods in its rare beauty, the Winnipeg River and its angry white water and big Lake Winnipeg before reaching the Red River and journey's end. It was difficult to see anything attractive about Pembina beyond a couple of trading posts and a little cluster of shacks and rough people.

What a blessed relief to be stationary again after months of canoeing! Marie-Anne was sure she could be happy with nothing more than a tent as long as she was not tied to the routine of the brigade. But to her surprise and dismay Jean-Baptiste was suddenly pressing her to move again, this time up the Pembina River where she would be deprived of all human company except her husband's. His explanation of why they must travel again so soon was clumsy and unconvincing, but he had good reason: in his earlier stay in the West, he had "shacked up" with an Indian girl, Little Weasel. When she heard he was returning, she came to Pembina to claim him. He did not tell Marie-Anne that friends at Pembina warned him to take her away quickly because Little Weasel had threatened to murder "the white squaw" who had become her rival.

Jean-Baptiste acted promptly and a day or two later, pitched the family tent back where the Turtle Mountains were rich with wild game, wild flowers, wild fruit and wild beauty. Jean-Baptiste hunted, his wife picked berries and life

portages habituels entre Lachine et la baie Georgienne, mais elle se fait attaquer par des Indiens, et plus tard, perd quelques hommes lors d'une tempête sur le lac Supérieur. Marie-Anne connaît la peur, mais ils arrivent enfin à Fort William qui, en 1807, a remplacé Grand Portage. Il est bien agréable de sortir des canoës et de se dégourdir les jambes, mais bientôt la conduite bruyante des voyageurs en liesse l'effraie plus que la tempête sur le lac. Marie-Anne est soulagée de continuer le voyage vers l'Ouest, passant par le lac des Bois, d'une grande beauté, par la rivière Winnipeg et ses eaux bouillonnantes et le grand lac Winnipeg avant d'arriver à la Rivière Rouge et à leur destination finale. Il est difficile cependant de trouver Pembina attrayant: il n'y a là que des postes de commerce et des chaumières habitées par des gens grossiers.

Mais quel soulagement de pouvoir enfin s'établir quelque part après des mois passés dans des canoës! Marie-Anne est persuadée qu'elle peut être heureuse dans une tente, du moment qu'elle n'est plus soumise à la routine de la brigade. Mais à son grand étonnement et désarroi, Jean-Baptiste veut repartir, et cette fois-ci, sur la rivière Pembina, où elle n'aurait que son mari pour compagnon. Les explications qu'il lui donne ne sont guère convaincantes mais il a ses raisons: lors du premier séjour de Jean-Baptiste dans l'Ouest, il a vécu avec une Indienne, "Petite Belette", et celle-ci en apprenant qu'il était de retour, est venue à Pembina. Il n'en dit rien à Marie-Anne mais ses amis de Pembina lui conseillent d'emmener sa femme le plus vite possible car l'Indienne a menacé de tuer "la femme blanche", devenue sa rivale.

Jean-Baptiste agit promptement et, un ou deux jours plus tard, le couple plante la tente sur les "Turtle Mountains" parmi le gibier, les fleurs et les fruits sauvages: un vrai paradis. Jean-Baptiste chasse pendant que sa femme cueille des fruits. Leur vie est simple et tout à fait heureuse. Mais ils savent qu'ils devront partir de nouveau, car l'hiver ne va pas tarder. Marie-Anne attend leur premier enfant et elle doit accoucher en décembre ou en janvier. Jean-Baptiste, espérant que Petite Belette est repartie, annonce qu'ils vont rentrer à Pembina où il pourra confier sa femme aux bons soins de vieilles Indiennes.

was simple and surprisingly satisfactory. But they knew they would soon be moving again. Winter weather would be upon them, and Marie-Anne was expecting her first child in December or January. Hoping without comment that Little Weasel had departed, Jean-Baptiste said they would return to Pembina where his wife would have the help of older Indian women who knew all about babies.

As good fortune would have it, the possessive Little Weasel had gone elsewhere and Marie-Anne's first baby was born at Pembina on January 6, 1808. With no one else on hand to do it, she christened the little girl on the day of birth, calling her Reine. Marie-Anne found secret pleasure in the thought that her little girl was the first white child born in this new country — until she learned to her extreme disappointment that the distinction belonged to another white baby.

### Posing as a Boy, Girl Followed Lover

The younger Alexander Henry related the story in his journal. A few days before the Lagimodière baby was born, one of the young Scots working for him complained of feeling ill. Henry invited the boy to rest on his bed until he felt better. An hour or two later, Henry visited his sick employee to see if he felt better and was astonished to discover that the "boy" had just given birth to a baby.

In fact, she was a Scottish girl who had hired on as a boy in Scotland in order to accompany her lover to the New World. She had kept her secret until this moment. But, as soon as it could be arranged, mother and child were sent back to Scotland, leaving Marie-Anne as the second white woman in the West and mother of the first legitimate white child in almost half a continent.

### Marie-Anne Saved by Young Brave

With the end of winter, Jean-Baptiste took his family and moved on again, this time up the Saskatchewan River with his friends Chalifou, Belgrade and Paquin and their Indian wives. Marie-Anne would have female company but she could speak no Cree and the three Indian women could speak no French. Although this limited companionship, it

Fort heureusement, Petite Belette est partie et le premier enfant de Marie-Anne et de Jean-Baptiste naît à Pembina le 6 janvier 1808. Comme il n'y a personne d'autre pour le faire, Marie-Anne baptise elle-même la petite fille le jour de sa naissance et l'appelle Reine. Elle est ravie à l'idée que sa fille est le premier enfant blanc né dans ce nouveau pays mais elle est très déçue d'apprendre que ce titre appartient, en fait, à un autre enfant.

### Déguisé en garçon, elle suit son amant

Le jeune Alexander Henry raconte l'histoire dans son journal. Quelques jours avant la naissance du bébé Lagimodière, un des jeunes Écossais qui travaillait pour Henry, se plaint d'être malade. Celui-ci lui propose de se reposer dans son lit jusqu'à ce qu'il se sente mieux. Une ou deux heures plus tard, quand il vient voir son protégé, Henry est très surpris de voir que le "garçon" venait de mettre au monde un enfant.

La jeune fille s'était en réalité fait passer pour un garçon afin de pouvoir suivre son amant au Nouveau Monde. Elle avait bien gardé son secret mais, dès que ce fut possible, la mère et l'enfant furent renvoyés en Écosse. Marie-Anne Lagimodière est donc la deuxième femme blanche de l'Ouest mais la mère du premier enfant blanc légitime, dans plus de la moitié d'un continent.

### Marie-Anne sauvée par un jeune guerrier

À la fin de l'hiver, Jean-Baptiste et sa famille repartent et remontent cette fois la Saskatchewan, accompagnés de leurs amis Chalifou, Belgrade et Paquin et de leurs femmes indiennes. Marie-Anne a donc la compagnie d'autres femmes mais elle ne parle pas le cri et ses compagnes ne parlent pas le français. Évidemment, cela ne facilite pas le contact, mais les disputes non plus et, tout compte fait, c'est un voyage assez plaisant.

Les canoës font halte à Cumberland House et bien des Indiens y faisant du commerce, voient alors leur première femme blanche. Cela leur donne soudain envie de se peindre le visage de couleurs vives. Ne connaissant pas leurs intentions, Belgrade dit aux Indiens de faire attention car cette

also ensured against disagreement and argument. The relationship was not an unhappy one.

At Cumberland House where the canoes stopped, the many Indians on hand to trade saw their first white woman. They were inspired to "dress up" by daubing their faces with the brightest paint. Not certain how they might react, Belgrade prudently warned them to show respect because this white woman possessed magic powers and could smite anyone who tried to wrong her. The result was good behaviour and a presentation of furs. The Indians even offered to make Marie-Anne their chief or queen.

"Does everyday bring new adventures in this country?" Marie-Anne was asking her husband.

He might have answered.

"Yes, and the adventures are not all good."

At Fort of the Prairies, north of today's Melfort, where the travellers stopped to hunt and winter, Marie-Anne had one of her most frightening experiences. She, her child and Belgrade's wife were at a hunting camp waiting for the men to return, when a band of Cree Indians rode in. The natives were painted as if for war and Belgrade's wife, suspecting danger, seized the baby and fled into the bushes near the river, leaving Marie-Anne to face the Indians alone. The Indians surrounded her as if to prevent her escape and the chief dismounted to claim her, the first of her kind in his experience.

Filled with fear and praying aloud, Marie-Anne found her prayer answered immediately. To her astonishment, one of the braves rode towards her, dismounted to stand between her and the chief, and addressed her in French.

"What are you doing here?" he asked in words she understood so well.

When she explained her position, the French-speaking "Indian" explained something too. He was in fact a Frenchman from the St. Lawrence who was adopted by the Crees and had accepted the Indian way of life. He then persuaded the chief to leave the girl alone. Grudgingly, the chief remounted and led his followers away just as Jean-Baptiste returned. Fearing the worst when he saw the departing Indians, Jean-Baptiste galloped into camp to find that his wife

femme blanche possède des pouvoirs magiques. Après quoi, ils sont de conduite irréprochable et font cadeau de fourrures. Les Indiens proposent même de faire de Marie-Anne leur chef ou leur reine.

Marie-Anne demande à son mari si dans ce pays chaque jour amène de nouvelles aventures; il aurait pu répondre que oui, mais il lui aurait fallu ajouter qu'elles n'étaient pas toute agréables. À Fort des Prairies, au nord de ce qui est aujourd'hui Melfort, où ils s'étaient arrêtés pour chasser et passer l'hiver, Marie-Anne fait une de ses expériences les plus effrayantes. Dans un camp de chasse, avec son enfant et la femme de Belgrade, elle attendait le retour des hommes quand arrive une troupe de Cris montés à cheval. Ils avaient le visage peint comme pour la guerre et la femme de Belgrade, craignant le danger, s'enfuit dans les bois avec le bébé, laissant Marie-Anne toute seule. Les Indiens l'entourent comme pour l'empêcher de s'échapper; le chef descend de cheval et signifie qu'il la veut pour compagne parce qu'elle est blanche.

Terrifiée, Marie-Anne priait à haute voix. À sa grande surprise, un des guerriers s'approche d'elle et lui parle en français. "Que faites-vous ici?" lui demande-t-il. Quand elle a fini de lui répondre, "l'Indien" lui explique qu'il est en fait un Français du St-Laurent, adopté par les Cris dont il a adopté la façon de vivre. Il réussit à persuader le chef de renoncer à Marie-Anne. À contrecoeur, celui-ci remonte à cheval et repart, suivi de ses hommes, juste au moment où Jean-Baptiste revient au camp. Craignant le pire à la vue des Indiens, il se précipite et découvre à sa grande joie que sa femme est saine et sauve. Au même moment, la femme de Belgrade réapparaît, le bébé dans les bras.

### L'enfant aux yeux bleus attire un ravisseur

Le lendemain, ils lèvent le camp et repartent pour le fort où ils seraient plus en sécurité. Ils sont tous à cheval; Jean-Baptiste pensait avoir donné le cheval le plus calme à Marie-Anne qui attend leur deuxième enfant. Mais il se trompait: le cheval en question avait été dressé pour la chasse au bison. Un jour, un troupeau apparaît. Tel un vieux cheval de course, le cheval de Marie-Anne se lance à leur poursuite. Incapable

had not been murdered. At that moment Belgrade's wife emerged from hiding with the smiling baby.

### Blue-Eyed Child Attracted Kidnapper

Next day, the party broke camp to return to the added security of the fort. Each of the adults had a horse to ride. Marie-Anne's horse was thought to be the most reliable and that was important because she was expecting her second baby. But Jean-Baptiste was wrong in supposing the horse dependable. It had been trained for hunting buffalo, and when a herd appeared one day the horse, like an old race-horse, had the urge to pursue. Unable to control it, Marie-Anne could only try to hang on and take the awful jolts of a hard run. Jean-Baptiste attempted to catch the runaway, but it was impossible until it stopped on its own.

Marie-Anne was severely shaken and sick. Jean-Baptiste knew what was wrong and wasted no time in setting up the family tent and preparing his wife's bed. Before morning, her second baby was born, a son, the first white baby to be born in what was to become the province of Saskatchewan.

This was the blue-eyed child which proved such a temptation. At the age of one the child was snatched from the family tent when Marie-Anne went to the river for water. But the shocked mother thought she knew the culprit, a native woman about twice Marie-Anne's size. In aroused wrath, she gave chase and confronted the suspect. The squaw was obviously hiding something and Marie-Anne knew what it was. She ripped open the native woman's blanket and, sure enough, there was her son, displaying his baby smile. The thief impressed by the mother's courage and temper, put up no fight as Marie-Anne seized her baby and ran back to her tent, breathing thanks for another frontier victory.

Later, at Fort Augustus, the North West Company's post besides Fort Edmonton, another child was born, this one the first white baby in what is now Alberta. Then Jean-Baptiste heard about a big farming settlement proposed for the Red River area. Filled with curiosity, he and Marie-Anne decided to go back and see for themselves. With a tinge

de le maîtriser, Marie-Anne réussit tout au plus à s'y cramponner et supporte les terribles secousses de la course. Son mari, lui, tente en vain de les rattraper et finalement, le cheval s'arrête de lui-même.

Marie-Anne est très secouée et souffrante. Jean-Baptiste a vite fait de jauger la situation et sans perdre un instant, il monte leur tente et prépare le lit de sa femme. Avant l'aube naissait leur deuxième bébé: le premier blanc dans ce qui allait devenir par la suite la province de la Saskatchewan.

C'est cet enfant aux yeux bleus que les Indiens tentent d'enlever. À l'âge d'un an, cet enfant est volé de la tente familiale pendant que Marie-Anne est allée à la rivière chercher de l'eau. Mais la mère se doute tout de suite de l'identité de la coupable, une énorme Indienne. Outragée, elle se lance à sa poursuite et l'affronte. Cette femme, de toute évidence, cachait quelque chose. Sûre de son fait, Marie-Anne arrache la couverture enveloppant l'Indienne et découvre son fils, tout souriant d'ailleurs. La voleuse, très impressionnée par le courage et l'audace de cette mère, n'offre aucune résistance et Marie-Anne reprend son enfant qu'elle ramène à sa tente en courant, remerciant le ciel de l'avoir sauvé une fois de plus.

Plus tard, près de Fort Edmonton, à Fort Augustus, poste de la Compagnie du Nord-Ouest, un troisième enfant naît aux Lagimodière. Celui-ci est alors le premier enfant blanc dans la future province de l'Alberta. À ce moment-là, Jean-Baptiste entend parler de fermes dans la région de la Rivière-Rouge; pleins de curiosité, les Lagimodière décident d'aller voir sur place. Marie-Anne espère secrètement que la rumeur soit fondée pour leur permettre enfin de s'établir dans une communauté où elle ne sera plus la seule femme blanche.

C'est ainsi que les Lagimodière retournent à Pembina et qu'ils s'y trouvent lorsque les premiers pionniers de Selkirk arrivent à la fin de 1812. La présence de Jean-Baptiste est très appréciée car la nourriture manquant, pour aider la petite communauté, Jean-Baptiste passe la plus grande partie de l'hiver à chasser le bison. Sans lui, les pionniers seraient peut-être morts de faim.

of loneliness, Marie-Anne hoped the rumor was correct and that white women would be among the newcomers.

So the Lagimodières were back at Pembina when the first Selkirk settlers arrived late in 1812. Jean-Baptiste's presence was a matter of extreme good fortune because food supplies were totally inadequate for the number of people. If he had not agreed to spend most of the winter hunting buffalo, many of the settlers might have died of starvation.

### Trip Interrupted by Stay in Jail

When the settlers went back to build homes at Point Douglas, a short distance north of the Assiniboine, the Lagimodières located nearby too. Thus, they were present when the settlement came under Metis attack in 1815, causing settlers to flee. Colin Robertson of the Hudson's Bay Company persuaded the frightened people to return, but he feared another attack and wanted to deliver a message to Lord Selkirk, who was expected in Montreal late in the year. It was already mid-October, and lakes and rivers were frozen over. How could a message be delivered? There was only one way — someone would have to make the trip on foot.

The next question: who would undertake such a journey from the site of modern Winnipeg to Montreal under winter conditions? Jean-Baptiste furnished the answer. He would do it provided that Colin Robertson would ensure protection for Marie-Anne and the children. There was no time to waste. Jean-Baptiste picked up his gun, hatchet, blanket and snowshoes, placed the written message in his fur hat and was on his way.

After an 1,800 miles journey, the hardy former voyageur, now middle-aged, delivered the message and set out for the return trip to Red River. But luck seemed to fail him and he was taken prisoner by agents of the North West Company and held at Fort William. This led to a long delay, leading Marie-Anne to think he was dead. In the meantime, the Red River Settlement had experienced the awful ordeal of the Battle of Seven Oaks and the surviving settlers were again in flight. Thanks in large part to the friendship of Indians, Marie-Anne and the children were unharmed,

## La prison

Quand les fermiers partent construire des maisons à Pointe Douglas, un peu au nord de l'Assiniboine, les Lagimodière, eux aussi, s'établissent dans les environs. Ils s'y trouvent donc lors de l'attaque des Métis en 1815. Les pionniers abandonnent alors ces lieux. Cependant, Colin Robertson de la Compagnie de la Baie d'Hudson réussit à les persuader de revenir s'y installer. Et comme celui-ci craint une nouvelle attaque, il veut envoyer un message à Lord Selkirk attendu à Montréal plus tard cette même année. On est déjà à la mi-octobre, et les lacs sont gelés. La seule façon de faire ce voyage, c'est donc de le faire à pied.

Il reste à trouver quelqu'un qui veuille entreprendre un tel voyage: de l'emplacement de Winnipeg à Montréal, et en hiver. Jean-Baptiste se propose à condition que Robertson veille sur Marie-Anne et sur les enfants. Il se met en route sans perdre de temps.

Au bout de ses 1,800 milles de chemin, notre héros s'acquitte de sa mission. Il n'est plus très jeune, pourtant il repart très vite pour la Rivière-Rouge. Malheureusement, la chance tourne et il est fait prisonnier à Fort William par des agents de la Compagnie du Nord-Ouest. Depuis si longtemps sans nouvelles, Marie-Anne le croit mort. Entre-temps, les survivants de l'horrible bataille des Sept-Chênes ont fui la Rivière-Rouge. Marie-Anne et ses enfants, grâce à leur amitié avec les Indiens, sont sains et saufs mais persuadés maintenant qu'ils ne reverront jamais plus Jean-Baptiste.

Dans l'intervalle, suite au message de Jean-Baptiste, Lord Selkirk fait route vers l'Ouest accompagné d'un groupe d'hommes armés. Il prend Fort William, libère Jean-Baptiste qui s'empresse de rentrer chez lui. Juste avant Noël, après une absence de près d'un an, un homme barbu, chaussé de raquettes, arrive à la Rivière-Rouge et retrouve, sur la rive est, la cabane de rondins où vit sa famille. Ce sont de bien joyeuses retrouvailles.

## Maskinongé partage ses "trésors"

Un an plus tard, une fois le camp remis sur pied, Lord Selkirk accorde à Jean-Baptiste un lot près de Fort Douglas,

although increasingly sure that they would not see husband and father again.

As a result of the message carried to Lord Selkirk at Montreal, the earl was now on his way westwards, bringing a band of armed men. He seized Fort William and released Jean-Baptiste, who lost no time in setting out for home. Just before Christmas, after an absence of more than a year, an unshaven man on snowshoes reached the Red River and found the log hut on the river's east side where his family was living. The reunion was a joyful thing.

### Maskinongé Shared Rare "Treasures"

When the settlement was re-established and Lord Selkirk arrived the next year, he granted a piece of land opposite Fort Douglas to Jean-Baptiste in recognition of his loyalty and aid. There Jean-Baptiste built a home. There Marie-Anne planted a garden. There the family continued to command frontier respect.

Jean-Baptiste never saw the St. Lawrence again. In his heart he was welded to the West, and he died at St. Boniface on September 7, 1855, aged 78. Marie-Anne lived on to see scores of grand-children and great-grand-children. Daughter Julie married the father of Louis Riel, whose name was to be blazened across the pages of history, partly for his leadership during the Red River insurrection in 1869 and 1870, and partly because of his activities in the North West Rebellion of 1885. Between Louis Riel and his grandmother Lagimodière there existed the strongest bonds of pride and affection.

Surrounded by members of her admiring family, Marie-Anne lived out her years at St. Boniface and died on December 14, 1875, affectionately described as "Red River's Granny". She and Jean-Baptiste were two rare treasures old Maskinongé shared with the new West.

en reconnaissance de sa loyauté et de ses services. Jean-Baptiste y construit une maison et Marie-Anne y cultive un jardin. La famille y passe sa vie, dans le respect de la communauté environnante.

Jean-Baptiste ne revit jamais le St-Laurent. Son coeur était attaché à l'Ouest et il mourut à Saint-Boniface le 7 septembre 1855, à l'âge de soixante-dix-huit ans. Marie-Anne vit encore assez longtemps pour voir de très nombreux petits-enfants et arrière-petits-enfants. Sa fille Julia épousa le père du fameux Louis Riel, celui qui allait commander l'Insurrection de Rivière-Rouge en 1869 et 1870 et participer à la rébellion du Nord-Ouest de 1885. Tous deux si fiers et si affectueux, Riel et sa grand-mère s'adoraient.

Entourée de sa famille, Marie-Anne finit ses jours à Saint-Boniface où elle mourut le 14 décembre 1875. On lui donnait le surnom affectueux de grand-maman de Rivière-Rouge. Elle et Jean-Baptiste furent les deux perles rares que Maskinongé a partagées avec l'Ouest de notre pays.

# 8

## THE BUFFALO HUNT:
## AN ALL-IN-ONE METIS
## FUN FESTIVAL, WORKSHOP AND RODEO

Hundreds of French-Canadian voyageurs who came west in the service of the fur trade never returned. When their contracts were completed, they yielded to the lures of a wild frontier, took Indian wives — generally Cree, Assiniboine and Saulteaux — and became freemen. These unions proved prolific and their sons and daughters known as Metis quickly became the dominant group in the area that is now Manitoba.

By the time the province was formed in 1870 almost half of the residents were French Metis, and when they and other halfbreeds were considered together, the total of 9,840 people represented 82 per cent of the population. A further breakdown showed 1,565 so-called whites, 558 Indians, 5,757 French halfbreeds or Metis and 4,083 non-French halfbreeds, a total of 11,963 people.

For the most part, the Metis clung tenaciously to the language and church of their French parents and the primitive outdoor life of the Indians. But instead of travelling with the Indians, they chose their own company and formed fairly compact hunting communities, creating another clearly defined prairie group of society drawing its livelihood from the pursuit of the buffalo and trapping.

Although they did not follow the Indian custom of going on the warpath for the sheer glory of battle, the Metis could and did present a formidable fighting front when there was provocation. A blood relationship helped to ensure peace between them and the Crees and Assiniboines, but there was a long-standing animosity between the Red River Metis and the Sioux of the southwest, aggravated by conflict

# 8

## LA CHASSE AU BISON: À LA FOIS UN FESTIVAL, UN ATELIER ET UN RODÉO MÉTIS

Des centaines de voyageurs canadiens-français engagés à l'Ouest pour le commerce des fourrures ne sont jamais rentrés chez eux. Une fois leur contrat terminé, ils ont cédé à l'attrait des contrées sauvages, se sont trouvé une femme indienne chez les Assiniboines, les Cris ou les Saulteux, et sont devenus ce qu'on appelle des hommes libres. Ces unions ont été très prolifiques et les fils et les filles hybrides connus sous le nom de Métis devinrent rapidement le groupe dominant dans les régions du Manitoba actuel.

Lorsque la province fut créée en 1870, presque la moitié de la populaiton était constituée de Métis français. Ils représentaient avec les autres Métis 82% de la population. La population totale de la région était de 11,963 habitants, dont 1,565 Blancs, 558 Indiens, 5,757 Métis français et 4,083 autres Métis.

La plupart des Métis français restaient très attachés à la langue et à la religion de leurs pères ainsi qu'à la vie au grand air des Indiens. Mais, au lieu de voyager avec ceux-ci, ils restaient entre eux et formaient leurs propres communautés de chasse. Ils représentaient dans la société des prairies une collectivité bien distincte, vivant surtout du piégeage et de la chasse au bison.

À l'encontre des Indiens, ce n'était pas un peuple belliqueux, épris de gloire, mais ils n'ont jamais hésité à livrer bataille s'ils se sentaient provoqués. Leur consanguinité aidait à maintenir une paix durable avec les Cris et les Assiniboines. Par contre, il existait une vieille rancune entre les Métis de Rivière-Rouge et les Sioux du Sud-Ouest, envenimée par une dispute à propos des terrains de chasse que les Sioux prétendaient leurs. Les hostilités éclatèrent en 1851,

on the buffalo hunting grounds the Sioux considered their own. The hostility reached a climax in 1851 in the Battle of the Grand Côteau, which the Metis remembered proudly as a great victory.

### Metis "Muscle" Felt by Settlement

Metis muscle was felt convincingly for the first time when the Selkirk Settlement appeared as a threat to the native way of life. The hostility was explained, in part at least, by planned goading from men of the North West Company, who believed the colony was deliberately placed across their river lifeline to destroy them as competitors of the Hudson's Bay Company. They found it handy to let the Metis do their "dirty work" and take the blame.

Certainly it was the Metis who were most prominently involved in the bloody business of the Battle of Seven Oaks on June 19, 1816, which led to the death of 20 of the ablest men in the settlement, including the newly arrived Governor Robert Semple.

The real evil genius within the North West Company seemed to be Alexander Macdonell, who could think of no better way to destroy the settlement than by convincing the native people that settlers would deprive them of their land, drive away the buffalo and shatter forever the way of life they cherished.

The leader at Seven Oaks was not a Metis in the strict sense, but rather a brilliant Scottish halfbreed, Cuthbert Grant, who was born at Aspin House on the upper Assiniboine River and educated in Scotland. Returning to the prairies, he worked as a clerk for the North West Company but also proved a commanding leader.

With Grant at Seven Oaks were two Metis captains, Michael Bourassa and Antoine Houle, four Indians wearing feathers, six so-called "Canadians" and 52 other Metis. The six "Canadians" were probably retired French voyageurs.

The real intention of the Metis on that occasion may never be known. It was expected that they would attack the colony sooner or later, but their immediate purpose was obviously to bypass Fort Douglas and meet a North West Company brigade of canoes coming from Fort William. The

date de la bataille du Grand Coteau, que les Métis consi-
dèrent comme une grande victoire.

La force des Métis se manifesta pour la première fois
lorsqu'ils estimèrent que la communauté de Selkirk menaçait
leur mode de vie. Cette hostilité était nourrie, au moins en
partie, par certains membres sans scrupules de la Compagnie
du Nord-Ouest, persuadés qu'on avait à dessein placé cette
colonie sur leur chemin pour empêcher qu'ils ne fassent
concurrence à la Compagnie de la Baie d'Hudson. Ils trouvèrent pratique de faire des Métis les instruments de leurs
sales besognes et de leur en laisser la responsabilité.

C'était ainsi qu'on retrouve les Métis, le 19 juin 1816, à
la tuerie de la bataille des Sept-Chênes qui coûta la vie à 20
des hommes les plus capables de la colonie, dont le nouveau
gouverneur Robert Semple.

Il semble que le mauvais génie dans la Compagnie du
Nord-Ouest ait été Alexander Macdonell, pour qui le meilleur moyen d'anéantir la communauté était de convaincre les
Indiens que ces pionniers allaient les priver de leurs terres,
faire fuir leurs bisons et changer à jamais leur mode de vie.

Le chef, à Sept-Chênes, le brillant Cuthbert Grant,
n'était pas Métis au sens strict du mot; c'était un Écossais de
mère indienne, né à Aspen House sur le cours supérieur de
l'Assiniboine et éduqué en Écosse. À son retour dans les
Prairies, il travaille comme employé dans la Compagnie du
Nord-Ouest mais fait aussi preuve de talents certains de
chef.

Avec Grant, à Sept-Chênes, il y avait deux capitaines
métis, Michel Bourassa et Antoine Houle, quatre Indiens et
six Canadiens en plus de 52 autres Métis. Les six soi-disant
Canadiens étaient probablement d'anciens voyageurs
français.

On ne connaîtra peut-être jamais les véritables intentions des Métis concernant cette bataille. On s'attendait à ce
qu'ils attaquent la colonie tôt ou tard. Pourtant, il semble que
leur but immédiat était de contourner Fort Douglas pour
aller à la rencontre d'une brigade de canoës de la Compagnie
du Nord-Ouest en provenance de Fort William. Le fort du
groupe de Selkirk avec ses canons occupait une position
privilégiée sur la rivière. Grant et ses cavaliers avaient un

Selkirk Settlement fort, with cannons in place, was in a position to command the river and the river traffic. Grant's party, or cavalry unit, was carrying food supplies in Red River carts for the brigade, supplying at the same time an armed escort for the brigade when it had to pass the settlers' fort.

Grant's party travelled east on the north side of the Assiniboine to a point near the Red, where it moved in a northeasterly direction to avoid the settlers' fort. There was nothing offensive about the Metis action to this point, but when a boy in the watchtower of the fort spotted the horsemen and sounded an alarm, there was an immediate flurry of fear and protest. Governor Semple put his eye to the spyglass and agreed that these were indeed the Metis of whom there had been so many rumours and something should be done to determine their intentions. As it now appears, Semple acted impulsively in calling for 20 volunteers to follow him and intercept the party when in fact it was actually riding away from the fort rather than towards it.

## Angry Words, a Blast and Battle Was On

The call for 20 men drew 25. They had travelled north almost a mile when the Metis seeing the colonists trying to overtake them, changed direction to meet the party and surround them. There was an exchange of angry words, a gun went off, and battle followed at once.

A few minutes later, it was all over. Six of Semple's men escaped to nearby trees, the other 20, including the governor, were dead or dying. One man was killed on the Metis side. To some, it became known as the Massacre of Seven Oaks. It was indeed a sad and one-sided battle, reflecting unequal shooting skills, but before describing it as a massacre, the observer should know more about which side started it.

For the second time in a year, settlers were seized with panic and preparing to flee to Jack River at the north end of Lake Winnipeg. Cuthbert Grant and his Metis followers were in undisputed possession of the fort and settlement.

But again, amazingly enough, the settlers were induced to return and the political climate at Red River began to

double mandat: d'une part, ils transportaient dans des charrettes des vivres pour ravitailler la brigade et d'autre part, ils devaient lui servir d'escorte armée lorsqu'elle allait devoir passer devant le fort.

Le groupe de Grant se dirigea à l'est sur la rive nord de l'Assiniboine jusqu'à un point près de Rivière-Rouge et prit ensuite la direction du nord-ouest pour éviter le fort. Il n'y avait jusqu'à présent aucune provocation de la part des Métis mais de la tour de guet du fort, un garde, apercevant les cavaliers, donna l'alarme: immédiatement tous furent sur le qui-vive. Le gouverneur Semple, prenant sa longue vue, convint qu'il s'agissait en effet des Métis dont on parlait tant et qu'il fallait s'assurer de leurs intentions. On estime aujourd'hui que Semple a agi de façon impulsive en demandant à 20 volontaires de le suivre pour rejoindre Grant et ses hommes alors que ceux-ci s'éloignaient du fort.

### Quelques propos violents et c'est la bataille

Semple avait demandé 20 hommes mais 25 s'étaient proposés. Ils avaient parcouru un mille vers le nord quand les Métis, se rendant compte que ces hommes essayaient de les rattraper, changèrent de direction pour venir à leur rencontre et les encercler en partie. On échangea quelques propos violents, un coup de feu fut tiré et ce fut la bataille.

Quelques minutes plus tard, tout était terminé. Six des hommes de Semple s'étaient enfuis sous les arbres voisins; les 20 autres, y compris le gouverneur, étaient morts ou mourants. Les Métis avaient perdu un homme. Cette bataille a été appelée le Massacre des Sept-Chênes. Certes, c'était une bien triste bataille, inégale, révélant d'ailleurs le manque d'adresse au tir des hommes de Semple; mais avant de l'appeler massacre, il faudrait en savoir plus sur l'identité de l'agresseur.

Pour la deuxième fois donc, en un an, des pionniers étaient saisis de panique et se préparaient à fuir à Jack River au nord du lac Winnipeg. Cuthbert Grant et ses Métis étaient alors les maîtres incontestés du fort et de la communauté.

Pourtant, chose étonnante, une fois de plus on convainc les habitants de revenir; le climat politique de Rivière-Rouge

improve. With the passing of a few years, settlers and Metis were drawn closer. Cuthbert Grant's image changed more than any and settlers found something good to say about him. When the Hudson's Bay Company and the North West Company merged in 1821, the Sioux threat was still a serious worry to the settlers and the Metis; and it was easy to realize that the two groups could help each other.

At the suggestion of local priests, the big concentration of Metis at Pembina — 500 or more — was induced to relocate north. By moving down river, the Pembina people were farther from the Sioux and in a better position to exchange defence benefits with the settlers. Many of the Pembina families settled beside the river, in the area of St. Boniface, where French settlers from the St. Lawrence were also locating. It was another case of the French and half-French being drawn together by the church.

About the same time, many of the people from Pembina followed Cuthbert Grant to White Horse Plains on the Assiniboine, west of the Selkirk colony, where they developed what would become Grantown. It was Grant's scheme and it proved a success; more Metis were drawn from distant parts to settle on the Assiniboine riverlot farms intending to farm. By 1824, 100 families had settled there and Grantown was an enterprising community. As an adjunct to farming, some of the ambitious settlers turned to horse-breeding, trading, freighting and making Red River carts on a commercial scale. Others made sugar from the sap of native maple trees.

From that point, the annual buffalo hunt or hunts also became more orderly and more popular, with the Selkirk colonists joining. The regular hunts became truly co-operative ventures and the English-speaking settlers entered into them with enthusiasm, but with the realization that the big operation was still basically Metis. Its success depended on Metis leadership and Metis skills. The Scottish and other settlers who accompanied were ready pupils.

The summer hunt — the most important event in the Metis year — grew in both size and in importance. Alexander Ross, who became known as the Red River historian and who accompanied the outing in 1840, reported that the

commence alors à s'améliorer et au cours des années, pionniers et Métis se rapprochent. L'image de Grant surtout change beaucoup et les habitants de la communauté commencent à trouver de bonnes choses à dire à son sujet. La Compagnie de la Baie d'Hudson et la Compagnie du Nord-Ouest s'amalgament en 1821 mais la menace des Sioux étant toujours très inquiétante, force est aux deux groupes de s'entraider face à un ennemi commun.

À la suggestion des prêtres de la localité, on persuade l'importante collectivité métisse de Pembina — au moins 500 — de se regrouper au Nord. En s'installant plus en aval, ils s'éloignaient des Sioux et pouvaient plus aisément s'allier à la communauté en cas de raid. Beaucoup de familles de Pembina s'établissent donc le long de la rivière, dans la région de St-Boniface, là où des Français du St-Laurent s'installaient eux aussi; une fois de plus Français et demi-Français sont réunis par leur église.

Environ à la même époque, une partie des habitants de Pembina suit Cuthbert Grant jusqu'à White Horse Plains sur l'Assiniboine à l'ouest de la colonie de Selkirk, où ils fondent la future ville de Grantown. C'est Grant qui en a eu l'idée et c'est un vrai succès; d'autres Métis viennent parfois de loin s'établir sur les lots le long de la rivière, avec l'intention de les cultiver. En 1824, il y a déjà 100 familles et Grantown est une communauté prospère. En plus de l'agriculture, les plus ambitieux d'entre eux élèvent aussi des chevaux, font du commerce, transportent des marchandises et fabriquent, pour les vendre, des charrettes de la Rivière-Rouge. D'autres font du sucre avec la sève des érables.

Dès lors, la chasse ou plutôt les chasses annuelles au bison deviennent plus organisées, plus populaires et attirent aussi des colons de Selkirk. Ces expéditions de chasse deviennent de véritables entreprises coopératives auxquelles les anglophones participent avec enthousiasme. Mais chacun sait que leur succès dépend avant tout de l'adresse et de l'art des Métis. Les Écossais et les autres pionniers se joignant à eux ne sont rien de plus que de bons élèves.

L'expédition d'été, la plus importante de l'année, se déroule sur une grande échelle. Alexander Ross, devenu l'historien attitré de Rivière-Rouge, ayant pris part à l'expé-

number of Red River carts involved increased from 500 in 1820 to 1,200 in 1840.

With few people staying home, carts and people converged upon an appointed meeting place. The Metis came from Pembina, White Horse Plains and the St. Boniface community and settlers joined whatever group they found convenient. Everybody wanted to go and just about everybody went, though it represented tedious travel and often heavy work.

On the first evening after the three streams of hunters and carts came together, the entire camp was called to deal with matters of organization. First, there was the appointment of the chief captain, who would be like an army general. For years it was unthinkable that anybody except Cuthbert Grant would be elected, but by 1840 age was telling and the position went to Jean-Baptiste Wilkie, Metis of course. Ten divisional captains were also chosen, joining the chief captain in the council. Under each divisional captain were 10 constables who did what constables are supposed to do — keep order and enforce rules.

**Rules Governed Camp Conduct**
The approval of rules was the next order of business, rules to govern camp conduct everyday and hunting conduct on the day of the kill. As Alexander Ross reported the hunt of 1840, the rules varied only a little from those of previous years. They made it clear that the camp flag would be raised at a chosen time in the morning to warn all that tents had to be dismantled for departure half an hour later. Periodically through the day, the flag might be lowered to allow horses and oxen to rest and men and women to relax briefly. It would be brought down at about 6 p.m. as a signal for all participants to halt and make camp for the night.

**A Third Offence Meant Flogging**
The rules governing the hunt were:
1. No buffalo to be run on the Sabbath day.
2. No party to turn off, lag behind or go ahead without permission.
3. No person to run buffalo before the general order.

dition de 1840, écrit que le nombre de charrettes est passé de 500 en 1820 à 1,200 en 1840. Tout le monde y participe. Les Métis viennent de Pembina, de White Horse Plains et de la communauté de St-Boniface et les pionniers se joignent au groupe de leur choix. Malgré le gros travail et les longs déplacements que cela représente, chacun veut être de la partie.

Le premier soir, après la réunion des trois groupes de chasseurs et de charrettes, on s'occupe de l'organisation. D'abord on doit nommer le capitaine en chef, poste comparable à celui d'un général d'armée. Pendant des années, ce poste est confié automatiquement à Grant, mais en 1840, celui-ci se faisant trop âgé, c'est Jean-Baptiste Wilkie, Métis aussi, cela va de soi, qui est élu. On choisit aussi 10 capitaines de division qui, avec leur chef, formeront le conseil. Sous chacun de ces 10 capitaines, on nomme 10 officiers de la paix dont le travail consistera justement à faire régner l'ordre et le respect des règles.

## Les règles du camp

On décide ensuite des règlements, ceux qui régissent la vie quotidienne du camp et ceux qui doivent être suivis pendant la chasse elle-même. Comme en témoigne la description d'Alexander Ross, les règlements de l'expédition de 1840 diffèrent peu de ceux des années précédentes. On y précise les divers signaux donnés dans la journée à l'aide d'un drapeau. Le matin, celui-ci est hissé à une heure donnée comme signal de départ une demi-heure plus tard. À plusieurs reprises dans la journée, on abaisse le drapeau pour accorder à tous quelques moments de repos. Enfin, le soir, on le descend et c'est le signal de s'arrêter et de dresser les tentes pour la nuit.

## À la troisième infraction, c'est le fouet

Les règlements gouvernant l'expédition de chasse étaient les suivants:

1. On ne peut chasser le bison le jour du sabbat.
2. Aucun groupe ne peut s'éloigner, rester en arrière ni prendre de l'avance sans permission.

4. Every captain with his men to patrol the camp in turn and keep order.
5. For the first trespass against these rules, the offender to have his saddle and bridle cut up.
6. For the second offence, the coat to be taken off the offender's back and cut up.
7. For the third offence, the offender to be flogged.
8. Any person convicted of theft, even to the value of a sinew (buffalo tendon), to be brought to the middle of the camp, and the crier to call out his or her name three times, adding the word "thief" each time.

On the morning of the big day on the 1840 hunt, the 1,650 men, women and children — as well as 542 hungry dogs — were 250 miles from Fort Garry. Four hundred mounted men, most of them Metis, waited for the sign to advance against the herd known to be nearby. They moved forward slowly at first, then faster, and when only a few hundred yards from the herd, with bulls beginning to paw the ground in defiance or curl tails for flight, horses and riders dashed on at a full gallop. Instantly the scene was one of confusion as the air filled with dust, smoke and the sound of gunfire. A few horses stumbled; a few were accidently shot; some men were injured. Those hunters still on their horses reloaded and fired again and again until the herd was dispersed.

The women and children then moved in with carts to skin and dress the carcasses and cut up the meat to prepare it for drying and pemmican. The total slaughter, as confirmed by the number of tongues brought in, was 1,375.

The organised buffalo hunt was a Metis institution as positively as the Higland Fling was Scottish. Others could join it or copy it, but it was still Metis, rooted in necessity and offering an exciting digression in the life of the frontier. It was like a workshop, a fun festival and a rodeo all rolled into one.

It could even erupt into war as it did in 1851, giving the Metis a sort of national pride resembling the Scottish pride in Bannockburn and the American pride in their War of Independence. There had been frequent skirmishes between Metis and Sioux as buffalo hunts brought them tauntingly

3. Personne ne peut poursuivre le bison avant d'en recevoir l'ordre.
4. Tous les capitaines et leurs hommes doivent patrouiller le camp à tour de rôle pour maintenir l'ordre.
5. À la première désobéissance à ces règles, on coupe en morceaux la selle et la bride du chasseur.
6. Pour la deuxième infraction, on enlève son manteau au coupable et on le coupe en morceaux.
7. À la troisième offense, le coupable est fouetté.
8. En cas de vol, si minime soit-il, le coupable est amené au milieu du camp puis le crieur appelle le nom du ou de la coupable, y ajoutant chaque fois le mot "voleur".

Le matin de la grande expédition de 1840, 1,650 hommes, femmes et enfants, ainsi que 542 chiens, se trouvent à 250 milles de Fort Garry. Les 400 hommes à cheval, Métis pour la plupart, attendent qu'on leur signale d'avancer vers le troupeau que l'on sait très proche. Le signal donné, tous avancent très lentement, puis un peu plus vite, et lorsqu'ils ne se trouvent plus qu'à quelques centaines de verges, que les taureaux commencent à gratter le sol avant d'attaquer ou de lever la queue avant de fuir, soudain, chevaux et cavaliers chargent à fond de train. Aussitôt c'est une mêlée formidable et l'air se remplit de poussière, de fumée et du bruit des coups de feu. Quelques chevaux trébuchent, d'autres sont tués par accident, quelques chasseurs sont blessés. Les chasseurs encore à cheval ne cessent de recharger leurs armes et de tirer jusqu'à ce que le troupeau se disperse.

Femmes et enfants viennent alors avec des charrettes pour écorcher et débiter les bêtes tuées et ensuite découper la viande qui va être séchée pour en faire du pemmican. Cette fois-là, 1,375 bisons ont été abattus, comme le confirme le nombre de langues amassées.

Telle était la chasse au bison organisée, institution métisse par excellence autant que le Highland Fling est écossais. D'autres groupes pouvaient s'y joindre ou l'imiter, mais c'était quand même une tradition métisse, née des lois de la survie mais aussi du désir d'égayer ainsi leur vie quotidienne. C'était à la fois un festival, un atelier, et un rodéo.

Elle pouvait même soudain tourner en guerre comme en 1851, à la bataille du Grand Coteau. Les Métis en sont très

close to the high ground close to the Missouri River which the Indians considered theirs.

The Battle of Grand Côteau was striking because the White Horse Plains hunters, travelling apart from the main body, were grossly outnumbered by attackers bent on annihilation. Scouts spotted the Sioux in hills to the south and called for a halt to prepare such limited defences as a ring of carts would offer. It might not afford much protection, but it would hold the horses and oxen. At the same time, as carts were pulled into place, shallow trenches were dug under them to allow shelter for women and children. Trenches were dug in more forward positions to serve as riflepits for the men.

The scouts who identified the Indians rode to meet their Sioux counterparts, hoping to determine the Sioux intention. The Sioux scouts, more numerous than the Metis scouts, immediately surrounded them and took three prisoners.

The Metis hunters had 77 guns, some of them in the hands of mere boys. They did not underrate the Sioux — nobody did — but they were determined to make their enemies pay dearly for any success they might gain. The storm of battle did not break until the next morning, July 13, when, as suspected, the army of native warriors appeared on the horizon. Thirty Metis rode out to determine the temper of the Sioux and warn them to stay away. But the Indians were belligerent and the Metis galloped back to their camp and their riflepits.

### Metis Marksmen Turned Back Sioux

The Sioux charged only to be turned back by the expert Metis fire. They attacked again and again. The hunters from the Assiniboine had the advantage of trenches; the Sioux had the advantage of numbers, but watched many of their horses and some of their men fall before deadly Metis marksmanship. They tried a grand rush intended to wreck the cart barricade, expose the trenches and stampede the horses. But it too failed, and towards the end of the day the aggressors lost their enthusiasm and withdrew. They returned the next day, lost some more horses and men to the

fiers, un peu comme les Écossais le sont de Bannockburn et les Américains, de leur Guerre d'Indépendance. Il y avait eu de fréquentes querelles entre Métis et Sioux lors de chasses au bison sur les plateaux près du Missouri que les Indiens estimaient être leur territoire.

La bataille du Grand Coteau est frappante parce que les chasseurs métis de White Horse Plains, voyageant à l'écart du reste du corps de chasse, étaient bien moins nombreux que les attaquants voués à leur perte. Des éclaireurs avaient repéré les Sioux dans les collines vers le sud, et faisant halte immédiatement, tous s'étaient mis à disposer les charrettes en cercle pour préparer leur défense. Les charrettes n'allaient pas vraiment les protéger mais elles aideraient à retenir les chevaux et les boeufs. Sous les charrettes, ils creusent de petites tranchées pour protéger femmes et enfants et d'autres tranchées plus en avant pour les tireurs.

De leur côté, les éclaireurs qui avaient identifié les Indiens, vont à la rencontre des éclaireurs sioux pour tenter de connaître leurs intentions. Mais les Sioux, plus nombreux que les Métis, les encerclent immédiatement et les font prisonniers.

Les chasseurs avaient 77 fusils dont certains étaient entre les mains de jeunes garçons. Ils ne sous-estimaient certainement pas les Sioux — qui l'aurait osé — mais ils étaient bien décidés à se défendre avec acharnement. La bataille n'éclate que le lendemain matin, 13 juillet, lorsque, comme on s'y attendait, l'armée de guerriers indiens apparaît à l'horizon. Trente Métis sortent à cheval pour essayer de juger de l'état d'esprit des Sioux et les prier de ne pas approcher. Les Sioux ne veulent rien entendre et les Métis reviennent au galop se mettre à l'abri des tranchées.

## L'adresse des tireurs métis forcent la retraite des Sioux

Les Sioux attaquent mais sont repoussés par le feu des Métis. Ils reviennent à la charge plusieurs fois. Les chasseurs de l'Assiniboine avaient l'avantage des tranchées mais les Sioux celui du nombre. Malgré cela, beaucoup de leurs chevaux et quelques-uns de leurs hommes tombent sous le feu précis des Métis. Ils tentent alors de démolir les barricades de charrettes pour découvrir les tranchées et mettre les che-

Metis guns and gave up. The defenders lost a few horses and oxen to Sioux gunfire, but suffered no loss themselves except for one scout who was shot down trying to escape.

The Metis boasted about those days for decades. They had reason to boast, and it may be that they were the means of shielding the Red River settlement from Sioux aggression at that period. Even their presence at Red River was a shield.

But times were changing and these people who were French in tongue and church, and as comfortable as the Indians in buffalo country, faced some of the most difficult changes. They might be able to keep the visible expressions of French, but they could not hope to retain what they inherited from the Indian side of their ancestry.

### Red River "Trouble" Forced Metis Westward

When they could no longer live by the hunt which they loved so dearly a few became farmers. Others took to freighting with Red River carts. The great cart trains that crept along the thousand-mile trail between Winnipeg and Fort Edmonton, and those that made a similar 12 miles a day on the 500-mile trail between Winnipeg and St. Paul in Minnesota, were manned almost exclusively by Metis, and the oxen pulling the carts were addressed and cursed in French.

When riverboats and railroads ended the era of the Red River cart, some of the Metis drivers turned to farming, some to gathering buffalo bones on the prairies, some to trapping. Although they were carefree people, the new order, with its influx of men and women possessing strangely different customs, brought worry and anger. A principal irritant was the fear of losing claims to land long occupied without the formality of deed or title. The resulting protests produced the Red River insurrection of 1869 and a repetition in the North West Rebellion in 1885.

Following the trouble at Red River, many of the unhappy Metis travelled west, hoping to escape the hordes of ambitious newcomers and make new settlements for themselves in what was still buffalo country. As a consequence, Metis colonies sprang up on the South Saskatche-

vaux en fuite. Là encore, ils échouent et vers la fin de la journée les agresseurs, découragés, se retirent. Ils reviennent le lendemain et perdent encore des chevaux et des hommes; cette fois, ils renoncent. Les Métis avaient perdu des chevaux et des boeufs sous les balles des Sioux mais seul un éclaireur tentant de se sauver avait été abattu.

Les Métis allaient se vanter de cette bataille pendant des décennies. Ils avaient de quoi se vanter et il se peut que ce soit à cause d'eux que les Sioux n'aient pas osé attaquer la colonie de la Rivière-Rouge à cette époque. Leur seule présence à la Rivière-Rouge suffisait à la protéger.

Mais les temps changent et ces Métis, si français par leur langue et leur religion et d'autre part, comme les Indiens très à l'aise dans les contrées du bison, devront faire face à des changements extrêmement pénibles. Ils peuvent peut-être espérer garder le français mais ils ne pourront en même temps préserver l'élément indien de leur héritage.

### Les événements de Rivière-Rouge poussent les Métis vers l'Ouest

Quand ils ne purent plus vivre seulement de chasse, qu'ils aimaient tant, quelques Métis devinrent fermiers, d'autres entreprirent le transport de marchandises dans des charrettes de la Rivière-Rouge. Ces longs convois de charrettes qui sillonnaient la piste sur une distance de mille milles entre Winnipeg et Fort Edmonton, et ceux qui faisaient le voyage de 500 milles entre Winnipeg et St-Paul au Minnesota à raison de 12 milles par jour, étaient exclusivement dirigés par des Métis et durant ces voyages, on parlait et on jurait en français contre les boeufs qui tiraient ces charrettes.

Quand les bateaux et les chemins de fer mirent fin à ce mode de transport, certains Métis se livrèrent à l'agriculture, d'autres se mirent à ramasser les os de bisons sur les prairies, d'autres encore devinrent trappeurs. Les Métis avaient mené une vie insouciante, mais l'afflux d'hommes et de femmes aux coutumes si différentes des leurs, les inquiétait et les irritait. Ils craignaient surtout qu'on leur enlève des terres qu'ils avaient occupées si longtemps, mais sans titres de propriété. C'est ce qui a causé l'insurrection de 1869, et de nouveau la rébellion du Nord-Ouest en 1885.

wan, south of Prince Albert, at St. Albert, Lac Ste. Anne, Lac La Biche and Tail Creek.

On both occasions of Metis hostility, 1869 and 1885, governments would not see the halfbreed groups as a distinct, vigorous and proud people with legitimate claims. After both uprisings, the government made belated land grants — "halfbreed scrip", as they were called. Adjustment was still slow and difficult.

There was some further mixing by marriage, but the Metis people retained a remarkably clear identity, so distinct that one of their members could remark recently that although he was now seven generations removed from the original French-Cree union, his bloodlines show him still as being exactly half French and half Indian. And he can still find pleasure in talking about Metis heroes like the controversial Louis Riel; the superman Gabriel Dumont of the Saskatchewan; Pierre Falcon, bard of the Red River; Pascal Breland, who sat in the first Manitoba Legislature; Jean-Baptiste Wilkie, who was hero of the buffalo hunt, and many others with French names and mixed ancestry who left imprints upon the sands of the new West.

*Un troupeau de bison*

À la suite de ces événements, beaucoup de Métis partirent vers l'ouest dans l'espoir d'échapper aux hordes d'ambitieux pionniers et de pouvoir s'établir dans des régions encore peuplées de bisons. C'est ainsi que naquirent de nouvelles communautés de Métis sur la Saskatchewan du Sud, au sud de Prince-Albert, à St-Albert, Lac Ste-Anne, Lac la Biche et Tail Creek.

En 1869, comme en 1885, au moment des hostilités, le gouvernement a refusé d'admettre que les Métis formaient un peuple unique, robuste et fier, dont les revendications étaient légitimes. Après chacune de ces deux révoltes, le gouvernement a esquissé un geste réparateur tardif en leur concédant des terres: les "titres des Métis". Là encore le règlement a été lent et difficile.

Les mariages mixtes se pratiquaient encore mais le peuple métis a quand même préservé une identité tout à fait distincte. En effet, un Métis faisait remarquer récemment que, bien que ses origines française et crie remontent maintenant à sept générations, il se considérait toujours exactement comme ses ancêtres, à moitié français, à moitié indien. Il était fier de parler de héros métis tels que Louis Riel, Gabriel Dumont, le surhomme de la Saskatchewan, Pierre Falcon, le barde de Rivière-Rouge, Pascal Breland, membre de la première Assemblée législative du Manitoba, Jean-Baptiste Wilkie, héros de la chasse au bison et bien d'autres, de noms français et de sang mêlé, qui ont marqué les terres de l'Ouest.

# 9

## LOUIS RIEL - HERO OR VILLAIN -
## ASSURED THE METIS A NICHE
## IN CANADIAN HISTORY.

After the downfall of New France in 1759, French traders withdrew from the West. But French names and French language lived on in the Metis, wedded to the country by birth and fancy. They possessed what biologists called "hybrid vigour" and earned their identity with muscle and spirit.

As with all races, they needed leaders and found them. The individual who did the most to fill the Metis niche in Canadian history was undoubtedly Louis Riel Jr., seven-eighths French and one-eighth Indian. His mother, born Julie Lagimodière, was exclusively French, and his father, Louis Riel Sr., was three-quarters French and one quarter Indian. The young Riel, with so much French in his blood might have passed as a Frenchman, but his loyalty was to those of the mixed races, and he chose to be remembered as Metis.

More significant than his ancestry, though, were the controversies in which he divided the country along racial, religious and political lines. They were controversies that left wounds not completely healed a hundred years later.

### He Did Not Escape the Bishop's Notice

Born on October 27, 1844, Riel was five years old when the William Sayer trial brought his father to prominence and Metis halfbreed groups to triumph of the Hudson's Bay Company's claim to trading monopoly. He was 15 when the Anson Northup, the first steam boat to make the trip, came down river to tie up at Fort Garry, and he was still 15 when the West's first newspaper, the Nor'Wester, began publish-

# 9

## LOUIS RIEL — HÉROS OU BRIGAND — ASSURE AUX MÉTIS LEUR PLACE DANS L'HISTOIRE CANADIENNE

Après la défaite de la Nouvelle-France en 1759, les commerçants français abandonnent l'Ouest, mais leurs noms et leur langue demeurent, grâce à ces Métis solidement ancrés au pays. Ils possédaient ce que les biologistes appellent "la vigueur hybride" et ont imposé leur identité par la force et la volonté.

Comme toute race, ils avaient besoin de chefs et ils les ont trouvés. Louis Riel fils, est sans nul doute celui qui a le plus contribué à assurer aux Métis leur place dans l'histoire canadienne. Sa mère, Julie Lagimodière, était complètement française et son père Louis Riel, aux trois-quarts français, l'autre quart étant indien. Avec sept huitièmes de sang français et un huitième seulement de sang indien, le jeune Riel aurait donc pu passer pour Français, mais sa loyauté va aux Métis, et c'est comme Métis qu'il a choisi de se faire connaître.

Mais ce qui est bien plus important, ce sont les controverses qui se sont multipliées à son sujet, divisant le pays sur tous les plans: racial, religieux et politique. Elles ont laissé des cicatrices que cent ans d'histoire n'ont pas toutes guéries.

### L'évêque ne manque pas de le remarquer
Né le 27 octobre 1844, Riel a 5 ans pendant le procès de William Sayer. Son père devient alors célèbre parmi les groupes de Métis qui triomphent de la Compagnie de la Baie d'Hudson, soucieuse de préserver ses droits exclusifs de commerce. L'année de ses 15 ans, l'Anson Northup, premier bateau à vapeur sur la rivière, jette l'ancre à Fort Garry et le journal Nor'Wester publie sa première édition. Il a 25 ans

ing at Fort Garry. He was 25 when it was rumoured that the government of the new Dominion of Canada was negotiating to buy the West from the Hudson's Bay Company without as much as consulting the men and women of the dominant group in the country, the citizens of mixed blood.

Because of his mother's zeal for the church, Riel grew up under strong religious influences. Bright boys who might be candidates for the priesthood did not escape the notice of Bishop Taché, and he was sent to Lower Canada for a special education when he was 13. It was 1857, the year Capt. John Palliser travelled west to determine whether the big country had any future except as a source of furs. The journey from Red River to the St. Lawrence was an adventure, partly by Red River cart, partly by riverboat, then stage-coach and train and finally back to riverboat on the St. Lawrence.

The Montreal experience was not all good. With mounting doubts on church matters, Riel concluded that he was not suited to the priesthood. Many of the people around him shared that opinion. After eight years, to the great disappointment of his mother, he dropped the programme and entered a Montreal law office with some thought of becoming a lawyer.

During Riel's last year or two in Montreal, the Confederation issue was the subject of heated debate and he was drawn into it through influential French-Canadian friends like the Montreal lawyer for whom he was working, Rodolphe La Flamme, an outspoken critic of Confederation. Another of his friends was the younger lawyer Wilfrid Laurier, who was just beginning to attract public attention with a warning that Lower Canada would be swamped by the tides of an English-speaking majority. Confederation could mark the end of the French identity.

### Riel-Led Group Chased Surveyors

Adding to Riel's state of unhappiness, his father died. His thoughts turned longingly to Red River and his widowed mother. He turned his back on Montreal, paused at Chicago and St. Paul as he journeyed west and was back at Red River in 1868, the awful year of grasshoppers, crop failure and famine. The reunion with his mother was sweet, but after an

quand la rumeur veut que le gouvernement du nouveau Dominion du Canada commence à négocier l'achat de l'Ouest avec la Compagnie de la Baie d'Hudson, et cela sans même consulter le groupe dominant de la région: les citoyens au sang mêlé.

À cause du zèle religieux de sa mère, toute la jeunesse de Riel est fortement marquée par l'Église. Les garçons intelligents, candidats potentiels au séminaire, n'échappaient pas à l'attention de l'évêque Taché; aussi, à l'âge de 13 ans, Riel est-il envoyé dans le Bas-Canada pour recevoir l'éducation appropriée à ses futures charges. On est en 1857, l'année où le capitaine John Palliser se rend vers l'Ouest pour déterminer si cette vaste région avait un avenir autre que celui des fourrures. Le voyage de Rivière-Rouge au Saint-Laurent est toute une expédition: d'abord en charrette, puis en bateau, en diligence, en train et, pour finir, de nouveau en bateau sur le Saint-Laurent.

Pour Riel, l'expérience de Montréal n'est pas que positive. Il a de plus en plus des doutes quant à sa vocation religieuse et il en conclut qu'il n'est pas fait pour le sacerdoce. Beaucoup de ceux de son entourage étant du même avis, au bout de huit ans, à la grande déception de sa mère, il quitte le séminaire et se met alors au service d'un avocat de Montréal avec la vague idée de devenir avocat lui-même.

Durant les derniers mois de son séjour à Montréal, l'idée de la Confédération fait l'objet de discussions animées auxquelles Riel participe par l'intermédiaire de certains amis canadiens-français influents tels que l'avocat pour qui il travaille, Rodolphe La Flamme, ouvertement opposé à la Confédération. Un autre de ses amis est un jeune avocat, Wilfrid Laurier, qui commence à attirer l'attention parce qu'il prévoit que le Bas-Canada pourrait être submergé par une majorité anglophone. La Confédération pourrait mettre fin à l'identité française.

## Un groupe mené par Riel chasse les arpenteurs

La mort de son père accroît ses inquiétudes. Il pense très souvent avec nostalgie à la Rivière-Rouge et à sa mère esseulée. Il quitte Montréal, s'arrête à Chicago et à Saint-Paul avant de rentrer à la Rivière-Rouge en 1868, année de saute-

absence of 11 years, he was something of a stranger in the area — for a while. It took the events of only one day to change all that, however. The day was October 11, 1869, when the appearance of a crew of Canadian government surveyors on hay land used by André Nault, a relative of Riel, brought a simmering local unrest to a boil. Easterners had been seen moving around Fort Garry and there was increasing speculation that the government would buy the country from the old Company. In an atmosphere of growing Metis anger at being ignored by both buyer and seller, Col. J.S. Dennis and his crew of government surveyors appeared.

Dennis had been advised to keep his men away from the riverlot farms occupied by the Metis, but not realising the great length of the narrow riverlots, they began working on Nault's land. Nault protested, but they did not understand his French and he did not understand their English. They were inclined to rest on their government authority and continued to work. Nault, in anger, which should have been understandable in any language, left the field to return minutes later with a dozen or more of his Metis neighbours, all armed. This time the unilingual surveyors got the point made by Riel who had returned from the East speaking boldly and convincingly. The surveyors withdrew quickly and the Metis chuckled both in their triumph and in their discovery of a spokeman behind whom they could rally and furnish muscle.

Having won an argument with the surveyors, the Red River men realised as never before that if they acted together they could be powerful. Before many days, they read in the Nor'Wester about the appointment of William McDougall as lieutenant-governor of the Territories, to take effect on the day of the official transfer. Again, it was government action without consultation with the native people who had never seen McDougall, but knew they did not like him. He had been John A. Macdonald's minister in charge of construction on the Dawson Route where practically no Metis workmen were hired. Then, he was one of two cabinet ministers sent to negotiate the acquisition of Rupert's Land and its transfer to federal authority. Riel's friends were

relles, de maigres récoltes et de famine. Il est heureux de revoir sa mère, mais, après une absence de 11 ans, il se sent un peu comme un étranger dans la région — tout au moins pour un temps. Il suffit d'un seul jour pour changer tout cela. En effet, le 11 octobre 1869, une équipe d'arpenteurs du gouvernement canadien débarque sur les terres à fourrage d'André Nault, cousin de la famille de Riel. C'est la goutte qui fait déborder le vase. Déjà auparavant, on avait vu des gens de l'Est s'affairer autour de Fort Garry et on était de plus en plus persuadé que le gouvernement allait acheter les terres à la vieille Compagnie de la Baie d'Hudson. C'est dans ce climat d'irritation croissante chez les Métis, ignorés par les vendeurs et par les acheteurs, que le Colonel J.S. Dennis et son équipe font leur apparition.

Les ordres de Dennis étaient de ne pas toucher aux terrains occupés par les Métis le long de la rivière. Mais ne se rendant pas compte de la longueur de ces étroites parcelles de terre, les arpenteurs commencent à travailler sur les terres appartenant à Nault. Nault proteste mais ils ne comprenaient pas le français et lui ne comprenait pas l'anglais. Enclins à s'en remettre à leur autorité d'agents du gouvernement, ils continuent leur travail. Nault se met alors en colère, de façon intelligible dans n'importe quelle langue, quitte les lieux et revient quelques minutes plus tard avec une douzaine de ses voisins, tous Métis et armés. Cette fois, c'est Riel qui prend la parole et en anglais; il parle clairement, avec audace et de façon si convaincante que les arpenteurs se retirent immédiatement. Les Métis eux, se réjouissent de leur victoire et de leur nouveau porte-parole derrière lequel ils allaient pouvoir se rallier.

Les hommes de la Rivière-Rouge ont soudain conscience de leur force potentielle en tant que collectivité. Peu de temps après, ils apprennent par le journal Nor'Wester la nomination de William McDougall comme lieutenant-gouverneur des Territoires; cette nomination doit prendre effet le jour du transfert officiel. Une fois de plus le gouvernement avait agi sans souci des opinions des autochtones et les Métis, qui n'avaient jamais vu McDougall, savaient néanmoins qu'ils ne l'aimaient pas. Il avait été ministre de J.A. McDonald, chargé de la construction de la route de

ready for McDougall; they would not let him enter the region. On October 21, they placed a barrier across the trail and explained what it meant. The blustering McDougall took the hint and returned to Pembina.

## House Surrounded, Opponents Captured

For the Metis and their new leader it was the second triumph in two weeks. With a self-assurance they had not had before, Riel and 120 men marched into Fort Garry on November 3, and took possession, unopposed.

Now what? There is no reason to believe that Riel was disloyal to either the Hudson's Bay Company or the British flag, even though the Metis adopted a flag of their own. Riel wanted to act democratically, and, although he had to seize Nor'Wester printing equipment to do it, he printed copies of a proclamation announcing a convention to which all parishes, French and English, were invited to send delegates.

Governor McTavish of the Hudson's Bay Company, probably under pressure from McDougall, issued a proclamation at the same time reminding all citizens that Rupert's Land had still not been transferred and the country's only governement rested with the Company.

Riel's convention was well attended and he proposed a provisional government — a slight to McTavish. But English-speaking and French-speaking delegates could not agree and the only thing suggesting progress was a bill of rights from Riel's own people. The bill was not unreasonable and the English group under Dr. John Schultz showed an interest in supporting it if McDougall approved. This was totally unacceptable to Riel because he refused to recognise McDougall's authority; he wanted Ottawa's approval and that alone. With no agreement, the convention ended.

McDougall, hanging on at Pembina, made Dennis a sort of deputy lieutenant-governor with an added title, conservator of the peace. Dennis was also given authority to raise a force intended to end Riel's insurgence and allow McDougall to enter and assume office. McDougall, however, did not know that Ottawa, unwilling to inherit a land in the throes of war, had postponed the transfer of Rupert's Land.

Dawson et n'avait engagé aucun Métis. Il avait aussi été l'un des deux ministres envoyés pour négocier l'acquisition des terres de Rupert au bénéfice de l'autorité fédérale. Les amis de Riel étaient prêts à recevoir McDougall, mais ils ne comptaient nullement le laisser entrer dans la région. Le 21 octobre, ils lui barrent la route en donnant leurs raisons et McDougall s'en retourne à Pembina en proférant des menaces.

## La maison assiégée et les adversaires capturés

Pour les Métis et leur nouveau chef, c'était le deuxième triomphe en deux semaines. Avec une assurance toute neuve, Riel et ses 120 hommes marchent sur Fort Garry, le 3 novembre, et le prennent sans opposition.

Que faut-il en conclure? On n'a aucune raison de penser que Riel, bien que les Métis aient adopté leur propre drapeau, ait trahi ni le drapeau anglais ni la Compagnie. Il voulait agir de façon démocratique. Il dut toutefois saisir de force l'équipement de l'imprimerie du Nor'Wester pour parvenir à faire imprimer et distribuer un tract annonçant une convention à laquelle toutes les paroisses, anglaises et françaises, étaient invitées à envoyer leurs délégués.

Au même moment, le Gouverneur McTavish de la Compagnie de la Baie d'Hudson, sans doute poussé par McDougall, fait rappeler à tous les citoyens que les terres de Rupert n'ont pas encore été transférées, et sont toujours sous la seule juridiction de la Compagnie.

Beaucoup de personnes viennent à la convention de Riel qui propose un gouvernement provisoire — un affront pour McTavish. Les délégués anglophones et francophones ne parviennent pas à se mettre d'accord et le seul pas en avant est la Déclaration des Droits des Citoyens, proposée par les Métis. Celle-ci était assez raisonnable et les Anglais, sous la direction du Dr Schultz, l'acceptent à condition que McDougall l'approuve. Pour Riel ces conditions sont inacceptables puisqu'il refuse l'autorité de McDougall. Il veut qu'Ottawa, et Ottawa seul, approuve la charte. La convention s'achève sur un désaccord. McDougall, toujours à Pembina, nomme Dennis, député lieutenant-gouverneur avec en plus le titre de médiateur de la paix. Dennis avait aussi le pouvoir de

When Dennis appeared to be making headway in raising an army of Canadian and Indian troops, the French allied themselves more strongly with Riel who, on December 7, ordered his followers to surround the Schultz home and take its occupant prisoner. The result was the capture of nearly all Riel's prominent opponents.

Riel, as leader, was now able to declare that all opposition had ended and that the provisional government had assumed authority. Inasmuch as Hudson's Bay Company authority had ended on December 1, and Ottawa had refused to take over, he was quite correct in saying no other government remained. Riel's action could not be considered rebellion because the country was in a sort of political vacuum; there was no constituted or authorised body against which to rebel.

Two days after Christmas, Donald A. Smith — later Lord Strathcona — arrived at Fort Garry as a special commissioner appointed by the federal government to seek a peaceful solution to the disturbance. He presented himself to Riel, now president of the provisional government. It was agreed that a meeting of citizens would be called on January 19, to give Smith and others an opportunity to present their suggestions. The day was cold — it was 20°F below — and the crowd was too big for any existing building. It was reported that 1,000 people stood for five hours listening to Smith and Riel before Smith got support for his proposal that a delegation of three men go to Ottawa to secure government assurance for the items in the revised bill of rights. The three were Father N.J. Ritchot, Judge John Black and A.H. Scott.

Some of Riel's prisoners escaped, among them an Ontario Orangeman named Thomas Scott who had such an unpleasant disposition that he was not very popular in any company. Later in the winter, Scott and other opponents of Riel gathered at Portage la Prairie to place themselves under the command of Major C.A. Boulton for an attack on Fort Garry. The winter-time march was difficult and by the time the expedition reached Fort Garry its enthusiasm for an attack was waning. Instead of fighting to recover the fort

mobiliser des troupes et ceci pour mettre fin à la résistance de Riel, ce qui permettrait à McDougall d'entrer en fonction. Cependant McDougall ignorait qu'Ottawa, peu désireux d'adopter un territoire en pleine guerre, avait décidé de reporter à plus tard le transfert des terres de Rupert.

Quand Dennis commence à mobiliser une armée faite de Canadiens et d'Indiens, les Français s'allient à Riel qui, le 7 décembre, ordonne à ses partisans d'encercler la maison du Dr Schultz et de se saisir de tous ses occupants. C'est ainsi qu'il parvient à faire prisonniers tous ses principaux adversaires.

Riel, en tant que chef, annonce alors qu'il n'y a plus d'opposition et que le gouvernement provisoire a pris le pouvoir. Puisque l'autorité de la Compagnie avait pris fin le 1er décembre et qu'Ottawa avait refusé de prendre la relève, il avait tout à fait raison de dire qu'il ne restait pas d'autre gouvernement. L'action de Riel ne pouvait pas être considérée comme une rébellion puisqu'il y avait dans le pays une espèce de vide politique et qu'il n'y avait donc aucune autorité contre laquelle se rebeller.

Deux jours après Noël, Donald A. Smith, appelé par la suite Lord Strathcona, arrive à Fort Garry, envoyé expressément par le gouvernement fédéral pour trouver une solution pacifique à la situation. Il se présente à Riel, maintenant président du gouvernement provisoire. Ils décident d'avoir une réunion le 19 janvier afin de permettre à Smith et à d'autres de faire des suggestions. Il fait très froid ce jour-là, -20°, et les bâtiments sont trop exigus pour toute l'assistance. Mille personnes, dit-on, sont restées debout pendant cinq heures pour écouter Riel et Smith. Celui-ci finit par faire adopter sa proposition: une délégation de trois hommes va se rendre à Ottawa pour obtenir que le gouvernement ratifie les clauses de la nouvelle Déclaration. Ces trois hommes étaient le père Ritchot, le juge J. Black et A.H. Scott.

Quelques-uns des prisonniers de Riel s'échappent; parmi eux, un Irlandais protestant d'Ontario, Thomas Scott, individu si déplaisant qu'il n'était pas même aimé de ses propres partisans. Plus tard durant l'hiver, Scott et d'autres opposants de Riel se rassemblent à Portage-la-Prairie sous le comandement du Major C.A. Boulton pour monter une

and end the provisional government, it allowed itself to be ushered inside where members were disarmed and imprisoned.

Boulton was charged with plotting the downfall of the provisional government, convicted and sentenced to die the next day. Donald Smith intervened and Boulton's life was spared, but Smith's influence could not save Thomas Scott, who seemed to be a constant irritant and troublemaker. Later, Riel was to describe how Scott tried to kill a guard by thrusting a bayonet through the opening of a guardroom door. Riel added an account of Scott's ruthlessness in his treatment of a man who was supposed to be on his side until suspected of spying. Scott was said to have tied a scarf around the man's neck and dragged him a quarter of a mile behind a horse at a gallop.

It is apparent that Scott did everything in his power to infuriate Riel. This coupled with Riel's feeling that he needed a public demonstration of his authority, led him to make what proved a fateful decision. Scott was accused of plotting against the provisional government, convicted and sentenced to be executed by firing squad on the following day. Despite pleas from Smith, Scott was executed by firing-squad on March 4.

Riel may have supposed that a demonstration of authority would save lives, but this was the act which was to shake Canada to its political foundations. Ontarians called at once for military intervention and punishment of those responsible for Scott's execution. John A. Macdonald felt compelled to act promptly and a military force of about 400 under Col. Garnet Wolseley was soon on its way to Red River.

### Ontario Group Seethed with Anger

In the meantime the three sent from Red River to Ottawa made their presentation. While they encountered a degree of hostility prompted by the execution of Scott — whose place of burial remained a well guarded secret — a reasonable basis for settlement of differences was worked out. One of the important features of the agreement was the promise of a province to be called Manitoba, to be erected

attaque contre Fort Garry. Mais la marche en hiver fut si difficile qu'une fois arrivés à Fort Garry, ils n'avaient plus aucune envie d'attaquer. Au lieu de se battre pour reprendre le fort et chasser le gouvernement provisoire, ils se laissent arrêter, désarmer et mettre en prison.

On accuse alors Boulton d'avoir comploté contre le gouvernement provisoire; il est jugé et condamné à être exécuté le lendemain. Smith intervient en sa faveur et on lui épargne la vie, mais il ne peut rien faire pour Scott, agitateur détesté de tous. Plus tard, Riel raconte que Scott avait essayé de tuer l'un de ses gardes avec une baïonnette. Il racontera aussi que cet homme impitoyable avait un jour noué un foulard autour du cou d'un de ses hommes accusé d'espionnage et l'avait traîné sur plus d'un quart de mille attaché derrière un cheval au galop.

De toute évidence, Scott avait tout fait pour exaspérer Riel. De plus celui-ci sentait qu'il devait faire preuve publiquement de son autorité et c'est ainsi qu'il prend une décision fatidique. Scott est accusé de comploter contre le gouvernement provisoire et condamné à mort; malgré l'intervention de Smith, il est fusillé le 4 mars.

Riel a peut-être supposé que cet acte d'autorité allait épargner des vies humaines, mais c'est pourtant cette décision qui a bouleversé toute la vie politique du Canada. Les Ontariens réclament une intervention militaire immédiate et la punition des responsables de l'exécution de Scott. J.A. McDonald, se sentant obligé d'agir promptement, expédie bientôt à la Rivière-Rouge une troupe d'environ 400 soldats sous l'autorité du Colonel Garnet Wolseley.

### L'Ontario en colère

Pendant ce temps, les trois délégués de la Rivière-Rouge à Ottawa présentent leur requête. L'exécution de Scott (enterré dans un lieu gardé secret) a causé quelque hostilité à leur égard. Ils parviennent cependant à une certaine entente. On leur promet tout particulièrement de faire de l'ancienne région assiniboine, une province sous le nom de Manitoba. Cette fois le gouvernement tient promesse et le 12 mai 1870, l'Acte du Manitoba est voté, confirmant son entrée dans la Confédération. La date officielle d'entrée est fixée au 15

from the earlier district of Assiniboia. This time the government was as good as its word and on May 12, 1870, the Manitoba Act was passed, confirming the terms of entry into Confederation. The date of entry would be July 15. Most items in Riel's bill of rights were written into the act, including a clause setting aside 1,400,000 acres of land for the Metis and halfbreed population. About the only request for which there was no clear commitment was amnesty for those involved in the provisional government.

Life at Red River assumed a more normal character again and Riel was rather generally accepted. Even the Hudson's Bay Company recognised his authority, at least to the extent of allowing his provisional government a loan of $15,000.

But things changed on August 24 when Wolseley's force arrived. Although the soldiers expected armed resistance, they found the gate open and the fort abandoned. Riel was moderately satisfied with the government assurances and saw no further reason for fighting; he and his key officials may have been seen watching from the St. Boniface side after cutting the ferry cable. Wolseley's men, filled with animosity, were disappointed in finding no chance to avenge Scott in battle.

Constitutional authority returned to the area, but the eastern Protestant section of the country, particularly Ontario, continued to seeth with an anger that would not be satisfied until Riel had paid personal penalty for Scott's death.

Manitoba had not seen the last of Riel. He was a hero to the Metis, the dominant group in the new province. He was present, inconspicuously, for a welcome to the new lieutenant-governor, Adams Archibald, and joined a force recruited to defend against a threatened Fenian invasion. In 1872, he agreed to be a candidate for the House of Commons in Provencher. He would have won but, in a show of generosity, he withdrew in favour of George Etienne Cartier who had lost his seat in Montreal and was regarded as John A. Macdonald's "right hand man" in Quebec.

Cartier won Provencher, but his death soon after prompted a by-election. Asked to stand again, Riel was elected by acclamation. But he was still a hunted fugitive

juillet. La plupart des articles de la Déclaration de Louis Riel sont inscrits dans l'Acte, y compris celui qui garantit à l'ensemble de la population des Métis des droits sur 1,400,000 arpents de terre. Mais la demande d'amnistie pour les membres du gouvernement provisoire est pratiquement le seul point qui reste en suspens.

À la Rivière-Rouge, la vie reprenait son cours normal et Riel était accepté de presque tous, même de la Compagnie, semble-t-il, qui prête $15,000.00 à son gouvernement.

Mais la situation change le 24 août avec l'arrivée de Wolseley. Les soldats, s'attendant à une certaine résistance, trouvent l'entrée ouverte et le fort abandonné. Riel, assez satisfait des affirmations du gouvernement, ne voyait plus aucune raison de se battre — il semble que lui et ses hommes surveillaient la situation de Saint-Boniface après avoir coupé le cable du bac sur la rivière. Les hommes de Wolseley étaient furieux et déçus de ne pas pourvoir se battre pour venger Scott.

Le Manitoba n'avait pas fini d'entendre parler de Riel. Pour les Métis, groupe dominant de la nouvelle province, c'est un héros. Il est là quand on accueille le nouveau lieutenant-gouverneur, Adams Archibald, et il se porte volontaire dans une troupe recrutée pour contrer une attaque possible des Féniens. En 1872, il accepte d'être candidat pour la Chambre des communes, à Provencher. Il aurait gagné s'il ne s'était retiré en faveur de Georges-Étienne Cartier qui, lui, avait perdu son siège à Montréal et était considéré comme le bras droit de John A. McDonald au Québec.

Cartier remporte Provencher, mais il meurt très peu après. Cette fois, Riel est élu par acclamation mais, recherché par la justice, il n'ose guère se montrer en public. Il se rend pourtant à Ottawa avec l'intention de se présenter à la Chambre des communes, mais au dernier moment on le dissuade, et il va donc à Montréal voir ceux qui se comptent encore parmi ses amis.

### On persuade Riel de quitter le Canada

En 1874, il a une autre élection à Provencher et de nouveau Riel est élu par acclamation sans même faire cam-

who hardly dared appear in public. He went to Ottawa intending to attend the Commons and was persuaded only at the last minute to avoid the House. Instead, he went to Montreal where he saw the people who were still his friends.

## Riel Persuaded to Leave Canada

In 1874, there was another election and, sure enough, Riel was again a candidate in Provencher. Again he was elected without campaigning. This time, he actually entered the House of Commons where he was sworn in by the Commons clerk without being recognised as a fugitive. Later in the day, when it was learned that he had taken the oath of allegiance in the clerk's office. Ottawa was in a state of excitement. Instead of taking his seat that evening, Riel yielded to the advice of friends and crossed the river to Hull. Only this escape prevented his arrest because rewards were being offered for his capture. Parliament then outlawed him. The government wanted most to see him leave the country and, with Bishop Taché's help and a $1,000 payment, he was persuaded to go to the United States.

Life for Riel continued to be difficult and dangerous. He spent some time in the Eastern States and a spell or two in mental hospitals before going to Montana where he was married. He was teaching school when the South Saskatchewan Metis sought him out to ask him to return to lead them in another time of trouble. He agreed and in 1885, whether his part was that of an aggressor or peacemaker, he was accused of fomenting rebellion. When the rebellion collapsed he surrendered. He was sent to Regina, where he was tried for high treason, convicted and sent to the gallows on November 16, 1885.

Canada was in political turmoil during all this, particularly in the East. Doubts lingered. Was Riel's defence prudent in resting on a plea of insanity? Should the trial have been in Winnipeg instead of Regina where he would have had the benefit of a 12-man jury instead of six, and a mixed jury instead of an all-English speaking jury? Should the federal government pardon him?

Ontario Protestants insisted that the death of Scott was sheer murder while Quebec Catholics were sure the hang-

pagne. Cette fois, il ose entrer à la Chambre des communes et même prêter serment devant l'un des employés qui ne l'a pas reconnu. Mais plus tard ce jour-là, quand on apprend qu'il a prêté serment, tout Ottawa est en branle-bas. Au lieu de prendre son siège ce soir-là, Riel cède aux conseils de ses amis et traverse la rivière jusqu'à Hull. Heureusement pour lui car sa tête est maintenant mise à prix et seule son évasion fait qu'il n'est pas arrêté. Le Parlement le déclare hors-la-loi. Tout ce que le gouvernement voulait, c'était qu'il quitte le pays; avec l'aide de l'évêque Taché et une somme de $1,000.00, on finit par le convaincre de s'exiler aux États-Unis.

La vie pour Riel continue d'être dangereuse et difficile. Il passe quelque temps dans l'Est des États-Unis et se retrouve une ou deux fois dans un hôpital pour malades mentaux avant d'aller au Montana où il se marie. Il était instituteur quand les Métis de la Saskatchewan du Sud vont le chercher et lui demandent d'être de nouveau leur chef. En 1885, il accepte de répondre à leur appel. On ne saura jamais s'il a joué le rôle d'agitateur ou de médiateur, mais il se fait accuser d'avoir fomenté une rébellion. La rébellion échoue et il se rend. Envoyé à Régina, il est accusé de haute trahison, condamné à mort et pendu le 16 novembre 1885.

Pendant ces événements, le Canada était en ébullition, surtout à l'est. On avait des doutes. Était-il prudent pour sa défense d'alléguer la démence? Le procès aurait-il dû avoir lieu à Winnipeg où il aurait pu avoir un jury de 12 membres composé de Français et d'Anglais, plutôt qu'à Régina où les six jurés seraient exclusivement anglais? Le gouvernement fédéral devait-il lui accorder le pardon?

Les protestants de l'Ontario affirmaient que l'exécution de Scott était un meurtre tandis que les catholiques du Québec soutenaient que celle de Riel ne serait rien de plus que vengeance protestante. Le premier ministre ne savait que faire car il voulait à tout prix éviter les répercussions politiques. La question du pardon lui posait un vrai dilemme. L'accorder, c'était provoquer l'Ontario, le refuser, s'attirer la colère du Québec. Il décide de ne pas intervenir, même au risque de perdre l'appui des Canadiens français dans son cabinet.

ing of Riel was nothing less than English-Orange malice. The prime minister, eager to avoid political repercussions, was in a dilemma over the issue of a pardon. He could grant a pardon, enraging Ontario, or do nothing and infuriate Quebec. He decided to let the judgment of the court stand and risk losing the support of the French-Canadians in his cabinet.

### "I Die at Peace", Riel Wrote Mother

While the debate on a pardon raged fiercely in other parts — was he a hero or a villain, a saint or a sinner, a martyr or a murderer? — Riel faced death calmly and nobly. A last-hour letter to his mother showed a man without fear, without malice, one who was at peace with all the forces in his life. He was thankful to "God for... the strength to die well. I am on the threshold of eternity and do not want to turn back. I die at peace..."

It was the expression of a noble spirit, but it did nothing to mend the rift existing across the country. The concluding act might satisfy the English-speaking Protestants who remembered Scott's death as murder, but it strengthened Quebec's suspicion that Riel's execution was really racial and religious prejudice. The ugly suspicion was still perceptible 92 years later, still an obstacle on the path of Canadian understanding and unity.

### Riel écrit à sa mère: je meurs en paix

Pendant que ce débat fait rage, (est-il héros ou bandit, saint ou pécheur, martyr ou assassin?) Riel fait calmement et dignement face à la mort. Dans sa dernière lettre à sa mère, on voit un homme sans peur, sans rancune, en paix avec lui-même. Il remercie "Dieu pour . . . la force de mourir en toute dignité. Je suis sur le seuil de l'éternité et ne veux pas faire demi-tour. Je meurs l'âme en paix...".

C'était sûrement une pensée noble mais cela n'aidait pas la situation politique. L'exécution de Riel apaise peut-être les protestants de l'Ontario qui voulaient venger la mort de Scott, mais elle persuade tout à fait le Québec qu'elle a pour seule cause le parti pris racial, religieux. Cette terrible défiance plane toujours 92 ans plus tard et fait encore obstacle à l'unité canadienne.

*Louis Riel*

# 10

## "MIXED MARRIAGE" OF CONFEDERATION PRODUCED HEATED DEBATES FROM THE START.

No marriage is without pitfalls. The "mixed marriage" which was Confederation, 1867, could not escape testing times and marital problems lingered. Some reached the West.

In the years after Confederation, most of the Anglo-French differences at the political level revolved around churchs, schools or the age-old question of the relationship between church and state. Manitoba and the country farther west went through bitter debates before the issue was settled. The use of French as an official language stirred the same emotions, although with less political sound and fury.

The British North-America Act, dated March 29, 1867, was both a "marriage licence" and "marriage contract" for the union of Ontario, Quebec, Nova Scotia and New Brunswick — and such other provinces as might join later. The consenting parties were formally joined "for better or for worse" on July 1, 1867, although there were still voices warning that it would not be a happy marriage. If Quebec's minority opposition made the province seem like a reluctant suitor, Nova Scotia and New Brunswick were in the same position.

### The West's View was "English-Only"

Quebec did receive special consideration. The BNA Act permitted the province to retain many of the privileges accorded years before in the Quebec Act, described by some as French Canada's Magna Carta. The French language would receive the same recognition as English in the parliament of Canada and the legislature of Quebec. The legisla-

# 10

## DÈS LE DÉBUT LE MARIAGE MIXTE DE LA CONFÉDÉRATION EST SECOUÉ DE VIOLENTES DISPUTES

Aucun mariage n'échappe aux difficultés et la Confédération (1867) connaît des périodes difficiles de l'Est à l'Ouest. Dans les années suivant le Confédération, la plupart des différends politiques anglo-français tournent autour des écoles privées et de la vieille question du rapport entre l'Église et l'État. Le Manitoba et les régions plus à l'ouest connaissent de grands débats avant que cette question ne soit enfin réglée. Le fait que le français reste une des langues officielles reste un sujet brûlant sans produire cependant le même effet politique.

L'Acte de l'Amérique du Nord Britannique du 29 mars 1867, sert à la fois de "contrat" et "permis" de mariage entre l'Ontario, le Québec, la Nouvelle-Écosse, le Nouveau-Brunswick, et les provinces qui se joindraient plus tard. Les parties consentantes sont unies "pour le meilleur et pour le pire" le premier juillet 1867, bien qu'il y ait encore des doutes quant au bonheur de cette union. La minorité opposante au Québec donnait bien l'impression que cette province s'y engageait contre son gré et c'était le cas aussi de la Nouvelle-Écosse et du Nouveau-Brunswick.

### L'opinion de l'Ouest était: "l'anglais seulement"

Le Québec reçut certaines considérations. L'Acte A.N.B. permit à la province de garder la plupart des prérogatives acquises par l'Acte de Québec, considéré comme la "magna carta" du Canada français. Le français serait reconnu au même titre que l'anglais par le Parlement du Canada et la Législature du Québec. Ce document prévoyait aussi une représentation équitable de toutes les provinces. L'Ontario

tion also ensured equitable representation in parliament for all provinces. Ontario and Quebec would have 24 appointed representatives each in the Senate and the Maritime provinces together would have another 24. In the House of Commons, representation would hinge on Quebec; it would have 65 members while the other provinces would each have a number bearing the same relationship to 65 as its population bore to that of Quebec.

The arrangement was as fair and as just as the Fathers of Confederation could make it. No one could say that either the Quebec Act, soon after the defeat of New France, or the BNA Act was not considerate of the French-Canadian desire to preserve the mother tongue and the time-honoured Roman Catholic involvement in education.

That was fine for the French-Canadian people of Quebec, and the terms of the BNA Act were generally acceptable to them. But Canada went on to embrace new areas, and French-Canadians in regions which joined the Confederation later found they had fewer safeguards for their ideals and culture. The prevailing view in the West, where people of many nationalities and languages were gathering, was that all newcomers should be free to keep their native tongues, but that English, and English alone —despite any federal view — should be the common bond of communication.

## "School Question" Sparked Bitter Battle

Under the Manitoba Act passed by parliament on May 12, 1870, the new province would be constituted much like the older ones in the East. French and English would be the official languages and church participation in education — meaning separate schools — would be allowed. But it was not long before a majority opinion opposed the wedding of church and state in matters of education began to express itself, prompting Manitoba's long and bitter battle over the school question.

The leader on the French and Catholic side in the Manitoba quarrel was the versatile Bishop Alexandre Taché, who believed that the clergy should not be restricted to church affairs nor, indeed, to church and school if there were

et le Québec auraient chacun vingt-quatre représentants au Sénat et les provinces maritimes en auraient ensemble 24 aussi. Pour la Chambre des communes, la représentation serait basée sur le Québec qui aurait soixante-cinq membres; les autres provinces en auraient un nombre proportionnel à soixante-cinq au prorata de leur population.

Cet arrangement était aussi équitable que possible. Personne ne pouvait accuser l'Acte de Québec, peu après la défaite de la Nouvelle-France, ni l'Acte A.N.B. de chercher à restreindre les Canadiens français en ce qui concernait leur langue maternelle et leur vieille tradition des écoles catholiques.

Cela convenait au peuple du Québec et dans l'ensemble les termes de l'Acte A.N.B. lui étaient acceptables. Mais le Canada s'agrandit et les Canadiens français des régions qui se sont jointes plus tard à la Confédération, reçurent beaucoup d'immigrants de toutes nationalités, on tenait à pouvoir garder sa propre langue, mais par ailleurs on était d'avis que l'anglais, et l'anglais seul — quelle que soit l'opinion fédérale — devait être la langue de communication pour l'ensemble du pays.

## Grande bataille pour les écoles

Selon l'Acte du Manitoba adopté le 12 mai 1870, la nouvelle province aurait presque la même constitution que celles de l'Est. L'anglais et le français seraient les langues officielles et la participation de l'Église en éducation serait permise (c'est-à-dire les écoles séparées). Mais très vite un courant majoritaire commence à réclamer la séparation de l'Église et de l'État en matière d'éducation et déclenche au Manitoba une longue et amère bataille sur la question des écoles.

Le chef des Français et des catholiques du Manitoba était l'évêque Taché, homme très éclectique. Il pensait que le clergé ne devait pas se limiter aux questions d'Église ni même d'éducation, mais au contraire participer à tous les problèmes sociaux. Il devint le défenseur des aspirations françaises et fit la preuve qu'il savait manier les ficelles de la politique avec autant d'adresse que ses adversaires.

Né à Rivière-du-Loup en 1823, Taché entra dans l'Or-

problems elsewhere on the "firing line". He became the "watchdog" in relation to French ideals and proved that he could lobby and play politics with the best of his opponents.

Born at Rivière-du-Loup in 1823, Taché entered the Oblate Order in 1844, and went to Red River as a missionary the next year. Ordained after his arrival by Bishop Provencher, he succeeded him as the second Bishop of St. Boniface in 1853.

Taché's influence was particularly strong among the Red River Metis. Louis Riel generally listened to him and it was unfortunate that this man, who could have spared Riel from making his biggest mistake, was away during most of the life of Riel's provisional government. He likely would have convinced Riel of the folly of going through with the execution of Thomas Scott, greatly changing Riel's career and the course of western history.

Thaché's absence at the time was prompted by the Ecumenical Council meeting in Rome. Aware of mounting political dangers at Red River, he decided to stop at Ottawa to warn John A. Macdonald and George Cartier that there could be a Metis uprising. But Ottawa refused to worry itself and Taché was annoyed, even offended. Macdonald alluded to the meeting in a letter to Sir John Rose on November 23, 1869: "Unfortunately the majority of the priests up there (Red River) are from Old France and their sympathies are not with us. And to add to our troubles, Cartier rather snubbed Bishop Taché when he was here on his way to Rome."

Early in 1870, when Riel was in full control at Red River, the prime minister contacted Taché, who was still in Rome. The Bishop "volunteered to return", stopping at Ottawa to offer advice on how to deal with Riel before hurrying on to the West.

As the prime minister reported to Sir John Rose on February 23, 1870, Taché strongly opposed dealing with Red River's problems through an imperial commission or commissioner. He felt, in Macdonald's words, that "to send out an overwashed Englishman utterly ignorant of the country and full of crotchets as all Englishmen are, would be a mistake." Macdonald went on to make a proposal which proba-

dre des Oblats en 1844 et se rendit à Rivière-Rouge en tant que missionnaire l'année suivante. Ordonné par l'évêque Provencher après son arrivée, il lui succéda en 1853, devenant alors le deuxième évêque de Saint-Boniface.

Il eut une grande influence sur les Métis de Rivière-Rouge. Même Louis Riel l'écoutait; aussi l'absence de Taché à Rivière-Rouge durant la majeure partie du gouvernement provisoire de Riel, fut-elle fort regrettable. Il aurait sans doute réussi à le convaincre que l'exécution de Scott était une folie, et à changer ainsi la carrière de Riel et le cours de l'histoire de l'Ouest.

Durant cette période Taché participait à un concile oecuménique à Rome. Conscient de la tension politique croissante à Rivière-Rouge, il s'était arrêté à Ottawa pour avertir John A. Macdonald et Georges Cartier du danger d'une rébellion chez les Métis. Ottawa avait refusé de s'en inquiéter et Taché était reparti contrarié et froissé. Macdonald fait allusion à cette entrevue dans une lettre écrite à Sir John Rose le 23 novembre 1869: "Malheureusement la majorité des prêtres là-bas (Rivière-Rouge) viennent de France et ne sont pas de notre côté. De plus, Cartier a plus ou moins rabroué Taché lorsque celui-ci est passé ici en allant à Rome."

Au début de 1870, alors que Riel a les pleins pouvoirs à Rivière-Rouge, le premier ministre prend contact avec Taché, toujours à Rome. Ce dernier "offre de rentrer immédiatement", s'arrête à Ottawa pour exposer sa solution à l'affaire Riel puis s'empresse de revenir dans l'Ouest.

Comme le premier ministre le dit à Sir John Rose, le 23 février 1870, Taché pensait qu'il ne fallait surtout pas régler les difficultés de Rivière-Rouge par l'entremise d'une commission impériale. À son avis, disait Macdonald, "ce serait une erreur de dépêcher sur place un de ces Anglais guindés ne connaissant rien à la région et de surcroît lunatique, comme le sont tous les Anglais". Macdonald propose alors, sans doute à l'issue de cette même entrevue: "Nous pouvons peut-être nommer (Riel) sénateur pour les Territoires." Nommer un sénateur a souvent été pour un premier ministre une solution pratique pour se tirer d'embarras.

bly came from the same interview: "Perhaps we may make (Riel) a senator for the Territories." It would not have been the only time a senatorship was used to save a prime minister from trouble or embarrassment.

## Scott's Execution Seen as an Error

Of course, Macdonald wanted Taché to use his influence to keep Riel and his people in check. But this was before Scott was executed. Taché, who returned to Red River four days too late to intervene, saw the action as a grave error. He found it difficult to reason with Riel, who was even more suspicious of anyone coming directly from Ottawa and actually kept him confined to his house for a few days. Taché however, regained Riel's full confidence and his advice was accepted later. A major disappointment to both was that the amnesty promised by Taché never came through and Riel became a fugitive. But when the government was prepared to pay Riel to leave the country, Taché was able to persuade him to accept $1,000 and go to the United States.

More than ever, Ottawa found itself calling on Taché for advice, presuming that his experience and wisdom would be the means of preventing further insurrection. He was the French conscience of the West and he was more: with eastern leaders going to him for guidance, he was like "a power behind the throne". His prime concern was for the French-speaking and Roman Catholic people of Manitoba, but more than ever, he was becoming engrossed in the politics of the French-speaking population of the West as a whole. Without actually becoming a candidate for office, he seemed able to make or break parties and policies, and no wise politician overlooked the importance of seeking his views.

The reasons were clear enough. Most Manitoba voters were French-speaking, for one thing, and in any case, Taché exercised a powerful religious authority. It was only a matter of good sense for Lieutenant-Governor Adams Archibald, to meet Taché as soon as he arrived in Manitoba in 1870 and make sure of his goodwill. And Taché's influence was matched by his zeal and energy.

In another era, Taché would have been described as a successful French Canadian nationalist. Following Proven-

## L'exécution de Scott: une grave erreur

Bien entendu, Macdonald voulait que Taché, vu son influence, contrôle Riel et les Métis. Mais cela se passait avant l'exécution de Scott. Taché, rentré à Rivière-Rouge quatre jours trop tard pour intercéder, qualifie cet acte de grave erreur. Il a beaucoup de mal à faire entendre raison à Riel, plus méfiant que jamais envers quiconque venant directement d'Ottawa; en fait, on oblige Taché à rester chez lui pendant quelques jours. Plus tard cependant, Riel lui fera à nouveau totalement confiance et suivra ses conseils. Mais à leur grande déception, l'amnistie promise par Taché ne se matérialise pas et Riel devient donc un hors-la-loi. Ainsi, quand le gouvernement se déclare prêt à le payer pour quitter le pays, Taché réussit à le persuader d'accepter $1,000.00 et de s'exiler aux États-Unis.

Par la suite, plus que jamais, Ottawa a fait appel aux conseils de Taché et a compté sur son expérience et sa sagesse pour éviter d'autres insurrections. Il était la conscience française de l'Ouest et même plus: tous les dirigeants de l'Est allaient à lui pour chercher conseil et faisaient ainsi de cet homme "une puissance derrière le trône". Il donnait la priorité aux Français et aux catholiques du Manitoba, mais il s'engageait de plus en plus dans la politique concernant la population francophone de tout l'Ouest. Sans qu'il soit jamais candidat, bien des succès ou échecs politiques dépendaient de lui et tout politicien avisé se faisait un devoir de le consulter.

Les raisons en étaient fort claires; d'une part la plupart des électeurs du Manitoba étaient francophones et d'autre part Taché exerçait une grande influence religieuse. C'était donc le simple bon sens de la part du premier lieutenant-gouverneur Adams Archibald que d'aller trouver Taché, dès son arrivée au Manitoba en 1870, pour se mettre dans ses bonnes grâces.

À notre époque, le zèle et l'énergie déployés par Taché se feraient qualifier de nationalisme canadien-français. À l'exemple de Provencher, il rassembla et maintint les Métis sous l'aile de son Église. Mais la lutte pour la culture et la langue française dans l'Ouest lui fut presque aussi importante.

cher, he drew the large Metis population into the church and held it there. The self-assigned task of preserving the French language and other marks of French culture was only slightly less important to him.

Before the Province of Manitoba was created, Taché sought to obtain federal assurance that French would be safeguarded by legislation and that his church would have complete freedom to conduct separate schools, whether his people were in a majority or minority position. It may have been one of his fondest dreams to see Manitoba as a French-Canadian stronghold, another Quebec, but he did not get all he hoped for. Writing to Cartier in 1869, he said he had worried that French-Canadian interests would be sacrificed with the entry of the West into Confederation but "it never occurred to me that our rights would be so quickly forgotten".

## Taché Not Above Playing Politics

Not everybody would argue that those rights were "so quickly forgotten". In his great ambition to see Manitoba become the "Quebec of the West", he may have been carried away in wishful thinking. He did not hesitate to "play politics" and resort to lobbying when something as dear to him as church and schools were at stake.

The provision for church schools was spelled out in Section 93 of the BNA Act. For each province, it said "the legislature may exclusively make laws in relation to education," except that "nothing in any such law will prejudicially affect any right or privilege with respect to denominational schools which any class of persons have by law in the provinces at the time of union." The principle was further acknowledged in the Manitoba Act which brought that province into existence.

## Bill was Changed as Controversy Grew

But Manitoba faced a long and lively controversy on the question of the "dual school system" meaning separate schools, which the Catholic church wanted. The editor of the Brandon Sun and a few politicians like the Ontario Tory D'Alton McCarthy proposed abolition of the system that brought church and clergy into the classroom. Abolitionists

Avant même que le Manitoba soit créé, il voulut s'assurer que le français serait protégé par la législation et que son Église aurait toute liberté d'ouvrir des écoles séparées, même si les Français se trouvaient un jour en minorité. Mais son rêve le plus cher, celui de faire du Manitoba un bastion français dans l'Ouest, un autre Québec, ne se réalisa pas. Dans une lettre à Cartier en 1869, il fait part de ses inquiétudes concernant les intérêts français qu'il avait craint de voir sacrifier à l'entrée de l'Ouest dans la Confédération, "mais je ne pensais pas que nos droits allaient être si vite oubliés".

## Taché, le politicien

Tout le monde n'est pas d'accord que ces droits soient "si vite oubliés". Dans son grand rêve de vouloir faire du Manitoba le "Québec de l'Ouest", il a peut-être eu tendance à prendre ses désirs pour des réalités. Les manoeuvres de la politique ne le rebutant pas, il défendit ce qui lui tenait à coeur, les écoles sous la tutelle de l'Église, par exemple. Des mesures à cet effet sont inscrites dans l'article 98, de l'Acte A.N.B. Pour chaque province, il est écrit que: "seule la législature peut voter des lois concernant l'éducation" sauf que "rien, dans une telle loi, ne portera préjudice aux droits ou privilèges relatifs aux écoles confessionnelles, accordés officiellement à tout groupe social des provinces au moment de l'union". Ce principe est également mentionné dans l'Acte du Manitoba à la création de cette province.

## La loi change

Mais le Manitoba connut une longue et vive controverse sur la question du double système scolaire, c'est-à-dire, des écoles catholiques réclamées par l'Église. L'éditeur du "Brandon Sun" et quelques politiciens tels que le conservateur ontarien D'Alton McCarthy, proposaient l'abolition du système qui amenait l'Église et le clergé dans les salles de classe. Abolitionnistes et anti-catholiques prétendaient que le double système était onéreux, restrictif et sectaire. Le système d'éducation, affirmaient-ils, devrait être laïque. De leur côté les Français et les catholiques avançaient que cette liberté n'existerait pas si l'école séparée qu'ils préconisaient leur était refusée.

and anti-Catholics argued that the dual system was costly, restrictive and sectarian. The school system, they insisted, should be non-denominational. The French and Catholics, on the other hand, said freedom was meaningless if the separate schools they valued so highly were denied.

At a political rally in Portage la Prairie in August 1889, McCarthy took a strong stand against the dual system and practically committed the provincial government of Liberal Thomas Greenway to oppose it as well. Citing grounds of economy and educational merit in non-denominational education, the government proposed an amendment in 1890 to end both church schools and French as an official language in the legislature and provincial courts.

Here was a clash of principles. Supporters of the bill, arguing for separation of the church and state, said that "Manitoba shall be British; do not divide a new province on language and schools". Taché replied that Manitoba should be allowed to express its double heritage in the only way possible.

The provincial government had some second thoughts and modified the bill slightly. Instead of completely cutting off separate or private schools, the revised bill would allow them to operate on funds raised by their supporters. It meant that Catholics would have nothing less and little more than they had before the province was created.

The Manitoba Legislature passed the bill and the lieutenant-governor gave assent. But the legislation ran counter to the intent of the Manitoba Act, and it remained to be seen whether the federal government would disallow it.

What followed was a series of appeals to courts and senior government. A Winnipeg ratepayer, Dr. I.K. Barrett, launched suit against the City of Winnipeg charging denial of his right to pay taxes to a separate school board and lost. He appealed to a higher court with the same result. The case was then taken to the Supreme Court of Canada where the decision was reversed in Barrett's favour. The City of Winnipeg appealed to the Privy Council and the decision was reversed again, going against separate schools.

The quarrel was still not over. A petition signed by many French-Canadians and Catholics, including Taché,

À un congrès politique à Portage-la-Prairie, en août 1889, McCarthy se déclara fortement contre le double système en engagea pratiquement le gouvernement provincial du libéral Thomas Greenway à s'y opposer également. Le gouvernement, alléguant les avantages financiers et éducatifs d'un système laïque, proposa un décret en 1890 qui mettrait fin à la fois aux écoles catholiques et à l'usage du français comme langue officielle à la Législature et dans les tribunaux de la province.

On était en plein conflit. Les partisans de l'amendement, réclamant la séparation de l'Église et de l'État, disaient: "Le Manitoba sera britannique; ne divisez pas cette nouvelle province sur des questions de langues et d'écoles." Taché répliquait que le Manitoba devrait pouvoir exprimer son double héritage de la seule façon possible.

Le gouvernement provincial, après réflexion, modifia légèrement le décret; au lieu d'abolir complètement les écoles séparées ou privées, le décret révisé leur permettrait d'exister au moyen de fonds réunis par leurs adeptes. Cela voulait dire que les catholiques se retrouvaient, à quelques petits avantages près, au même point qu'avant la fondation de la province.

La Législature du Manitoba adopta le projet de loi qui fut approuvé par le lieutenant-gouverneur. Mais cette législation allait à l'encontre de l'intention de l'Acte du Manitoba et il restait à voir si le gouvernement fédéral donnerait son consentement ou non. Il s'ensuit donc une série d'appels en cour et auprès du gouvernement fédéral. À Winnipeg, le Dr I.K. Barrett intente un procès à la ville de Winnipeg, l'accusant de l'empêcher de payer ses taxes aux écoles séparées. Barrett perd son procès. Il fait appel à une cour plus élevée et perd de nouveau. L'affaire est alors soumise à la Cour suprême du Canada qui décide en faveur de Barrett. La ville de Winnipeg en appelle au Conseil privé qui prononce lui aussi un jugement défavorable aux écoles séparées.

La querelle n'est pas encore finie. Une pétition signée par de nombreux catholiques et Canadiens français, y compris Taché, demande au gouvernement fédéral d'intervenir. En réponse, celui-ci nomme un comité chargé d'étudier la question. Un certain temps s'écoule encore, puis le gouver-

asked the federal government to intervene. The government responded by appointing a committee to study the matter. After more delay, the senior government ordered the government of Manitoba to introduce a remedial bill. Like a boy disobeying his parents, Manitoba refused and the federal government proceeded to prepare its own remedial bill. But before the legislation was passed, Parliament was dissolved in anticipation of a general election.

Wilfrid Laurier, young French-Canadian and Catholic, campaigned effectively. He did not hesitate to rebuke the Catholic hierarchy of Quebec — which W.G. Hardy in his book, *From Sea to Sea*, refers to as being "more Roman Catholic than the Pope" — for being too aggressive in politics. His position alienated much French-Canadian and Catholic support, but Laurier also campaigned largely on support for provincial rights, promising that he would find a mutually acceptable compromise with Manitoba if he was elected. He was, and, good as his word, he met Greenway soon after the election. The result was the Laurier-Greenway Agreement which led to a Manitoba School Act Amendment in 1887, setting a new "Middle Way" in education in the province.

## Subsequent Debate Loud and Bitter

In the Territories, under federal authority with the North West Territories Act of 1875, debates in the legislative assembly and court proceedings could be conducted in either English or French. But when the Act was amended in 1891 to allow the assembly some freedom to regulate its own proceedings, one of the first pieces of legislation introduced by the administration of Frederick Haultain was a bill to make English the sole official language. The Territories did not have many French-speaking citizens except the Metis at the time, and the change was made without much objection — apart from complaints by some Catholic church leaders.

The subsequent debate over separate schools was loud and bitter. Haultain believed in a "national system" arguing that the function of schools was "to mould and assimilate" everyone in the region. It was not fair, he said, that one denominational group should be allowed an advantage in

nement fédéral exige du gouvernement du Manitoba qu'il adopte une loi plus juste. Comme un gamin désobéissant à ses parents, le Manitoba s'y refuse et le gouvernement fédéral se prépare à passer la loi lui-même. Malheureusement, la dissolution du Parlement, en vue des élections générales, empêche que cette loi ne soit adoptée.

Wilfrid Laurier, jeune Canadien français catholique, n'hésite pas durant sa campagne à accuser la hiérarchie catholique du Québec (qui selon W.G. Hardy dans son livre *D'une Mer à l'Autre*, "était plus catholique que le pape") d'être trop agressive en politique. Sa déclaration lui fait perdre une bonne partie du soutien canadien-français et catholique. Laurier fait pourtant de la question des droits provinciaux l'essentiel de sa campagne et il promet que s'il est élu, il trouvera un compromis acceptable par tous pour le Manitoba. Il est élu et tient promesse. Peu après les élections, il rencontre Greenway. Ils mettent au point l'accord Laurier-Greenway, préambule de l'amendement de 1897 à l'Acte scolaire du Manitoba qui instaure un compromis dans le système d'éducation de cette province.

### Débat orageux et amer

Dans les Territoires, sous l'autorité fédérale, en vertu de l'Acte des Territoires du Nord-Ouest de 1875, les débats à l'Assemblée législative et devant les tribunaux pouvaient être en français ou en anglais. L'amendement de 1891 donnant à l'assemblée une certaine liberté d'action, l'une des premières législations passées par l'administration de Frederick Haultain fit de l'anglais la seule langue officielle. À cette époque, dans les Territoires, il n'y avait, excepté les Métis, que très peu de Français. Cette décision est donc prise sans grande opposition — mises à part les protestations de quelques dignitaires de l'Église catholique.

Mais le débat ultérieur au sujet des écoles séparées fut orageux et amer. Haultain préconisait un "système national" parce que, selon lui, la fonction des écoles était de "mouler et d'assimiler" la population de la région. Il était injuste, disait-il, qu'un certain groupe religieux ait le privilège d'influencer de jeunes esprits. Il n'était pas satisfait des termes définis en 1905 pour l'entrée de toute nouvelle province dans la Confé-

capturing young minds. He was not satisfied with the terms laid down for the entry of the new province or provinces into Confederation in 1905. The new provinces should start with non-denominational schools which would exclude active participation by the clergy, he said.

### Haultain Suspected Foes Made a Pact

Unlike the Manitoba Act in 1870, neither the Saskatchewan Act nor the Alberta Act of 1905 gave official status to the French language. But the protection for "denominational schools" was about the same; nothing was to "prejudicially affect the right or privilege with respect to separate schools which any class of persons have at the date of passing this act."

With the approach of the first elections in Alberta and Saskatchewan, Haultain campaigning in Saskatchewan, found his education policies being challenged not only by his Liberal opponent, Walter Scott, but also by supporters of the federal government and by Bishop Langevin, who like Taché had become a Western defender of everything French and Catholic.

In addition, Haultain was battling what the federal government had written into the legislation under which the new provinces were carved out of the old North West Territories. The combined opposition was proving powerful, and Haultain suspected an alliance to force the "Quebec plan" on the new provinces. This would allow clergy, whether Catholic or Protestant, to set up denominational schools and collect school taxes from their supporters and would also provide a share of public contributions for the support of school programmes. Whether Haultain was right or wrong, "his political hens were coming home to roost".

While Haultain had his campaign troubles, Laurier's terms for the provinces were also prompting loud wails of protest. Some changes were made in Ottawa, but they still left Haultain and Laurier far apart in the bitter argument, which continued through the spring and summer of 1905.

### Premier Was Aware of Political Bitterness

If Taché had been alive, he would have been in the

dération. Les nouvelles provinces, pensait-il, devraient commencer avec des écoles laïques et exclure toute participation du clergé.

### Haultain se sent victime d'une coalition

À l'encontre de l'Acte du Manitoba en 1870, ni l'Acte de la Saskatchewan ni l'Acte de l'Alberta de 1905, ne donnent à la langue française le statut de langue officielle. Les mesures prises pour protéger les écoles confessionnelles étaient à peu près les mêmes. Rien de devait "porter préjudice aux droits ou privilèges relatifs aux écoles séparées, accordés à un groupe social à la date d'adoption de cet acte".

Avec l'approche des premières élections en Alberta et en Saskatchewan, Haultain, qui faisait campagne en Saskatchewan, vit sa politique d'éducation critiquée non seulement par son adversaire libéral Walter Scott, mais aussi par des défenseurs du gouvernement fédéral et par l'évêque Langevin qui, comme Taché, était devenu l'avocat de tout ce qui était français et catholique.

De plus, Haultain s'opposait aux mesures législatives fédérales régissant la formation des nouvelles provinces taillées dans les anciens Territoires du Nord-Ouest. Cette opposition sur les deux fronts commençait à prendre de l'ampleur et Haultain y voyait une alliance pour forcer les nouvelles provinces à adopter le "Plan du Québec". Celui-ci permettrait au clergé soit catholique, soit protestant, d'établir des écoles et de profiter des taxes payées par leurs adeptes ainsi que d'une partie des contributions publiques. Qu'il ait eu tort ou raison, le fait est que sa politique fit boomerang.

Haultain avait des problèmes, mais Laurier en avait aussi car ses propositions pour les provinces étaient également très impopulaires, malgré quelques modifications faites à ce sujet à Ottawa. Leur querelle se prolongea donc durant le printemps et l'été de 1905.

### Le premier ministre et le climat politique

Si Taché avait été vivant, il se serait engagé dans cette bataille sans se soucier des commentaires au sujet du clergé, qui soi-disant "se mêle de faire de la politique". C'est aussi ce que fit Langevin en envoyant au clergé catholique de la

debate, notwithstanding complaints that might be raised about clergy participation in politics. As it was, Langevin plunged into it with a letter to his clergy in the area that was about to become Saskatchewan advising members of the church to oppose Haultain. The letter took its toll and, although Haultain was elected in his own constituency, his party was defeated by Walter Scott's Liberals. The man who had been premier of the North West Territories and one of Canada's most able statesmen became leader of the Opposition in Saskatchewan, and the Separate school system survived.

As Premier of the North West Territories, Haultain knew all about the political bitterness the two French-related issues could generate, but much of the unpleasantness followed him to Saskatchewan in 1905, leaving Alberta in a relatively settled state. This province had its debates too, but after 1905 they were more private than public, with many arguing that Haultain was right in seeking a wholly secular system of education and that Separate schools — whether Catholic, Protestant or something else — were divisive and costly. But, as with Saskatchewan, Quebec and Newfoundland, Alberta has continued to provide for sectarian or separate schools.

At the same time, the French language, though rarely heard in most parts of Alberta, has regained status in the classroom, including elementary schools. French is not mandatory in elementary schools in Alberta except where it is ordered by local boards of education, but it may be chosen as an option anywhere in the province.

région qui allait devenir la province de la Saskatchewan une lettre lui conseillant de s'opposer à Haultain. La lettre eut l'effet voulu. Bien que Haultain ait été élu dans sa circonscription, son parti fut battu par les libéraux de Walter Scott. Celui qui avait été premier ministre des Territoires du Nord-Ouest devint leader de l'opposition en Saskatchewan; le système d'éducation séparé survit donc, grâce à ce changement de pouvoir.

En tant que premier ministre des Territoires du Nord-Ouest, Haultain avait pu juger de l'amertume que pouvaient provoquer les questions concernant le français. Le même problème l'attendait en Saskatchewan, en 1905. L'Alberta était cependant relativement paisible. Elle avait aussi ses débats, mais moins publics. Certains, dans cette province, avançaient que Haultain avait raison de proposer un système d'éducation complètement laïque et que toute administration séparée — catholique, protestante ou autre — serait en effet trop onéreuse. Pourtant, comme la Saskatchewan, le Québec et Terre-Neuve, l'Alberta a maintenu le double système d'éducation.

Quant au français, bien que peu parlé en Alberta, il reprend de l'importance dans les salles de classe, y compris dans les écoles élémentaires. Actuellement, le français n'est obligatoire dans aucune école élémentaire albertaine, sauf là où il est exigé par l'instruction publique locale, mais c'est une option que l'on peut choisir par toute la province.

*Mgr Alexandre Taché*

*Frederick Haultain*

# 11

## THE PLAINS "NOBLEMEN" ADDED A ROMANTIC TOUCH TO WESTERN COLONISATION

Two settlements of French plutocrats — one at Trochu, northeast of Calgary and the other south of Whitewood in Saskatchewan — furnished the makings for one of the most romantic chapters in the history of western colonisation. Neither survived as planned, but the more westerly one provided the foundation upon which the Alberta village of Trochu was built, and both left records of pioneer imagination, courage and mistakes.

At the time, colonial and foreign agriculture held an unusual attraction for men of rank and capital. Some of the Old World investors acquired ranching interests in Texas and Wyoming, then in the Canadian foothills. A few, like Sir John Lister Kaye, believed they could win fame and fortune by bold and large scale farming on the frontier. Most of those overseas operators won the fame but missed the fortune. But it was only a small step to the idea of a frontier farming programme that would allow the wealthy proprietors to live on the land, enjoying frontier freedom plus a measure of Old World comforts they might bring with them. They could still hope for dividends.

### Whitewood "Counts" Preceded Trochu Group

What became known as the Settlement of the French Counts of Whitewood was some years ahead of the Trochu experiment. Otherwise, the two projects were very similar. Granted, both were French more than French-Canadian, and both were novel rather than typical of any large influx of settlers to the new West. But that point could also be made of the English settlement at nearby Cannington Manor and to

179

# 11

## UNE TOUCHE ROMANTIQUE DANS LA PLAINE

Deux groupes de gentilshommes français s'installent dans les plaines, l'un à Trochu au nord-est de Calgary, l'autre au sud de Whitewood dans la Saskatchewan. C'est ainsi que se déroule l'un des chapitres les plus romantiques de la colonisation de l'Ouest. Les deux groupes ont plus tard périclité, mais ils ont laissé des témoignages de l'imagination et du courage des pionniers, parfois aussi de leurs erreurs. Il est à mentionner que le groupe installé en Alberta est à l'origine du village de Trochu.

À cette époque, l'agriculture à l'étranger et dans les colonies attirait énormément les aristocrates fortunés. Quelques-uns avaient investi dans des ranchs au Texas, au Wyoming et aux pieds des Rocheuses canadiennes. D'autres comme Sir John Lister Kaye pensaient acquérir gloire et fortune en risquant la culture extensive dans les plaines. La plupart de ces investisseurs du Vieux Monde ont connu la gloire, mais guère la fortune. C'était assez cependant pour que l'idée germe et qu'on cherche à mettre au point un mode de culture permettant à de riches propriétaires de venir eux-mêmes mettre ces terres à profit et d'y jouir de la liberté du Nouveau Monde, en plus du confort relatif qu'ils allaient pouvoir apporter de leur pays.

### Les "comtes" de Whitewood précèdent le groupe de Trochu

Le groupe connu sous le nom de Colonie des comtes français de Whitewood est venu le premier. Les deux groupes étaient français plus que canadiens-français, et étaient marginaux plutôt que représentatifs de la grande vague des immigrants venant à l'Ouest. Ceci est également vrai des Anglais du manoir de Cannington et d'un groupe un

an extent of the bigger settlement known as the Barr Colony on the Fourth Meridian where Lloydminster arose. The Barr Colony, however, did survive and then flourished.

The English gentry who followed Captain Edward Pierce to build Cannington Manor, just a year or so before the French came to Whitewood, set about to build and live the way Englishmen like to live, with comfortable homes and time for hunting, cricket, music and tea at four o'clock. They were moderately successful for a while — until the "money from home" began to diminish. Their conduct provided an entertaining spectacle on the otherwise unostentatious homestead frontier, but it seemed even more unusual and entertaining to find French counts and noblemen attempting to farm far back from civilisation and railways.

The fact that the two settlements happened to be in the same area, south of the main line of the Canadian Pacific Railway, at about the same time, was purely coincidental. There was no communication between the two groups before they arrived and not much after. In their pursuit of ways of life that suited them, both displayed a desire to be self-sufficient without adhering rigidly or needlessly to convention.

The Frenchmen, commonly called "the Counts", were not all counts, but all were high-bred citizens of the land to which they continued to give their loyalty, and the term count was probably close enough. Large scale colonisation, or an attempt at French occupation of the northwest, did not seem to have been in their thoughts. This was their own adventure and neither French power on the prairies nor church expansion was important to them. Their roots were in France and would remain there, notwithstanding the adventure in Canada. They knew what they wanted in farm settings and demanded good soil, attractive scenery and native trees. In settling upon the Pipestone Valley they chose well, obtaining excellent grazing for cattle and some native trees.

### Counts' Residences Elegant Showplaces

The first homesteads and farms were staked out in 1885, just two years after Captain Pierce and family led the way for the English "invasion" of the Cannington Manor district. Strangely enough it was a French-speaking German,

peu plus important connu sous le nom de Barr Colony, situé sur le quatrième méridien, là où allait naître Lloydminster. La Barr Colony, elle, a survécu et prospéré.

Les gentilshommes anglais et le capitaine Edward Pierce construisent le manoir de Cannington, environ un an avant l'arrivée des Français de Whitewood; ils veulent vivre à la mode anglaise, c'est-à-dire avoir des maisons confortables, du temps pour la chasse, le cricket, la musique et, bien sûr, le thé à quatre heures. Pendant quelque temps, ils jouissent d'un certain succès jusqu'à ce que les fonds apportés s'épuisent. Leur conduite amuse les pionniers aux goûts plus simples, mais il est encore plus amusant d'observer les comtes et nobles français jouer aux fermiers, aussi loin de la civilisation et des chemins de fer.

Par pure coïncidence, les deux groupes s'établissent au sud de la ligne principale du chemin de fer du Pacifique Canadien, à peu près en même temps. Il n'y a aucun contact entre eux avant, et fort peu après leur arrivée. Préoccupés uniquement par un style de vie qui leur soit propre, ils se veulent très indépendants et affichent, dans les deux cas, leur indifférence pour les conventions.

Les Français, que tout le monde appelait les comtes, n'étaient pas tous comtes mais ils étaient tous gentilshommes, attachés au pays pour lequel leur loyauté n'allait jamais se démentir; aussi le titre de comte leur convenait-il assez bien. Ils n'avaient, semble-t-il, aucune intention de coloniser ni d'occuper systématiquement l'Ouest. La puissance française ou celle de l'Église leur importait peu; ils vivaient seulement leur propre aventure. Leurs racines étaient en France et elles allaient toujours y demeurer malgré leur éloignement. Ils avaient des goûts bien arrêtés quant à l'emplacement idéal d'une ferme, exigeant de bonnes terres, de beaux paysages et des arbres. La vallée de Pipestone, avec ses arbres et d'excellents herbages pour le bétail, combinait tout cela; c'est donc là qu'ils s'installèrent.

## Des maisons élégantes

Les premières exploitations agricoles furent établies en 1885, deux ans après "l'invasion anglaise" de la région du manoir de Cannington. Curieusement, c'est un Allemand

Dr. Rudolph Meyer, who preceded the counts to the area, to appraise the district and make some land selection. His obvious aim, no doubt in keeping with his instructions, was to create an "island" retreat far enough from the constraints of civilisation to afford new freedom, but close enough to be within range of comforts and pleasures an Assiniboia farm community could not be expected to furnish.

The Count and Countess of Roffignac were among the first to arrive. They settled on a picturesque valley farm which became widely known as Rolandrie Ranch. They were followed by Count Joumillhac, whose farm, called Richelieu, on the north side of the valley rivalled the Roffignac ranch for elegance. Count de Langle's ranch, also on the north side, became a showplace because of its good horses, and Count de Soras' holdings gained the same kind of recognition for the high quality of sheep bred there.

In hoping to live in ease on the quiet homestead frontier, the counts certainly did not leave their imagination and vigour behind. Most of them chose to specialise in something and they had lots of bright ideas. Wheat and coarse grains were the most reliable crops, but they experimented boldly and tried new crops like chicory and sugarbeets. The sugarbeets grew well enough, but manufacturing sugar was a problem. And, although the chicory did well on the Pipestone soil, the market did not materialise as the counts expected.

Some of them specialised in dairy farming and built a cheese factory near Moose Mountain; the exotic Gruyere cheese was attempted, but there were flaws in the technique and it was not a success. The most encouraging results came in the breeding of Thoroughbred horses, for many of the Counts, once officers in the French cavalry, brought useful experience and horsemanship.

If the French community had a business and social centre, it was the Roffignac ranch, Rolandrie. The proprietor appeared to have plenty of capital and he was most enterprising in trying new farming practices. The leader in trying sugar beets, he deserved credit even though the project did not prosper. It seemed like a good idea in a country where sugar prices were constantly high, and in 1890 he obtained and distributed a large quantity of sugar beet seed. Hope-

parlant le français, le Dr Rudolph Meyer, qui précéda les comtes afin d'expertiser la région et de sélectionner des terres. Il est évident qu'il avait reçu la consigne de créer une retraite assez éloignée des contraintes de la civilisation pour jouir d'un maximum de liberté, mais assez proche cependant pour avoir accès aux distractions et aux commodités qu'une communauté rurale assiniboine ne pouvait offrir.

Le comte et la comtesse de Roffignac furent parmi les premiers arrivants; ils s'installèrent dans une vallée sur une forme pittoresque qu'ils appelèrent le Ranch Rolandrie. Le comte Joumillhac arriva ensuite et s'installa sur le versant nord de la vallée; son ranch "Richelieu" rivalisait d'élégance avec celui de Roffignac. Le ranch du comte de Langle, situé lui aussi sur le versant nord de la vallée, était renommé pour ses beaux chevaux et la propriété du comte de Sora devint célèbre pour l'excellence de ses moutons.

Malgré leur désir de vivre une paisible existence de fermiers, ils mirent cependant en oeuvre l'imagination et l'énergie typiques des Français. La plupart d'entre eux se spécialisèrent et ils eurent souvent d'excellentes idées. En plus des céréales, qui comportaient peu de risques, ils firent aussi des expériences, telles que la culture de la chicorée et de la betterave à sucre. Les betteraves à sucre poussaient bien mais la production du sucre posait un problème. La chicorée aussi produisait à merveille dans le sol de Pipestone mais elle se vendait moins bien que les comtes ne l'avaient espéré.

Quelques-uns se spécialisèrent dans des fermes laitières et construisirent une fabrique de fromage près de Moose Mountain. Ils essayèrent de produire du gruyère mais leur technique n'étant pas au point, ce fut un échec. Les résultats les plus encourageants provenaient de l'élevage des pur-sang; en effet, ayant auparavant été officiers de cavalerie, plusieurs de ces comtes avaient acquis une expérience et une connaissance précieuses des chevaux.

S'il y avait dans la communauté française un centre social et un point de rendez-vous d'affaires, c'était bien le ranch des Roffignac: "La Rolandrie". Les propriétaires semblaient avoir des fonds importants et pratiquaient de nouvelles méthodes d'exploitation agricole. Ils furent les premiers à essayer la culture de la betterave à sucre. Bien que le

fully, capital would be forthcoming for the purchase of machinery and equipment to recover sugar from the beets. it did not come and not much sugar was obtained. The idea was abandoned.

## Noblemen Gradually Returned to Paris

The Rolandrie Ranch also maintained some of the best thoroughbred horses in Canada, horses which rivalled the best blood stock kept by the high-living Beckton Brothers over at Cannington Manor. Rolandrie sponsored its own racing programme too, and for superior horses, close races and fine French racecourse etiquette, nothing on the prairies was likely to surpass it.

Whitewood, on the main line of the CPR about 100 miles east of Regina, was the nearest market town for the counts and it prospered with French spending. Most of the counts lived on their farms, where they built expensive houses and kept servants, gardeners, grooms and butlers, but a few preferred to live in Whitewood and drive back and forth between the town and their farms. The citizens of the town watched with interest and sometimes amusement, especially when the Frenchmen staged their annual ball at the White-wood Hotel. Elegant coaches driven four-in-hand by coach-men in full livery, brought them to the ball, and good manners, fine clothes in the latest Paris style, classical music, the best of French wines and ballroom decor made this the social event of all Assiniboia. The counts were making social history as well as agricultural history and doing it in the most unlikely place.

The counts and their ladies were charming people and gave no offence. But, as with the charmers at Cannington Manor, where lack of practical experience was a handicap and expenditures exceeded revenues rather too consistently, problems mounted. Gradually, the gentlemen and their families moved back to Paris where civilisation seemed less offensive after five years of reality on the Western Canadian frontier. They left behind some fine farmsteads and numerous memories for the homesteaders in the area.

What happened in the Alberta community of Trochu was similar in many ways. Nothing else in the story of

projet n'ait pas eu de suite, cela semblait être une bonne idée vu le prix très élevé du sucre au Canada. En 1890, Roffignac obtint une grande quantité de semence de betterave à sucre qu'il distribua. Il espérait obtenir des fonds supplémentaires pour l'achat de l'équipement nécessaire à l'extraction du sucre, mais l'équipement ne vint pas et on obtint peu de sucre. Cette idée fut alors abandonnée.

### Peu à peu les nobles rentrent à Paris

La Rolandrie possédait aussi quelques-uns des meilleurs pur-sang du Canada; leurs chevaux rivalisaient avec les meilleurs de ceux des frères Beckton du manoir. La Rolandrie organisa à son tour son propre programme de courses de chevaux; la qualité des chevaux et l'élégance de leur étiquette étaient sans égales dans tout l'Ouest.

Whitewood, situé sur la ligne principale du chemin de fer du Pacifique Canadien à 100 milles à l'est de Régina, était l'agglomération la plus proche pour les comtes et elle s'enrichit rapidement du commerce avec les Français. La plupart des comtes vivaient sur leurs fermes où ils avaient construit de belles propriétés; ils avaient à leur service domestiques, valets, jardiniers et maîtres d'hôtel. D'autres choisissaient néanmoins de vivre à Whitewood et de faire la navette entre ce bourg et leurs fermes. Les habitants les observaient avec grand intérêt et quelquefois avec amusement surtout lorsqu'ils organisaient leur bal annuel à l'Hôtel Whitewood. D'élégants carrosses à quatre chevaux conduits par des cochers en grande livrée amenaient au bal cette société raffinée et vêtue à la dernière mode de Paris. La musique classique, les meilleurs vins français et le décor de la salle en faisaient l'événement social le plus marquant de la région. Les comtes écrivaient ainsi une page de l'histoire sociale en même temps qu'ils s'occupaient d'agriculture dans un endroit pour le moins insolite.

Les comtes et leurs dames étaient des gens charmants mais tout comme les dandies du manoir de Cannington, ils manquaient d'expérience et cela joua contre eux; les dépenses excédant constamment les revenus, les problèmes s'accumulèrent. Peu à peu les gentilshommes et leurs familles rentrèrent à Paris, appréciant davantage la vie parisienne après

French-speaking settlements in that province was like it; nothing else was as glamorous. And, strange as the settlement by the French counts of Whitewood must appear, it is even more astonishing that another would rise in Alberta. One difference: most of those in the Trochu group were former cavalry officers. The simple result was fewer counts and more colonels. A visitor having trouble with the French names discovered an easy solution to his problem — just address every male as "Colonel". Apparently, no one's feelings were hurt.

There was practically no connection between the settlement at Whitewood and the later one at Trochu except through one man, Count Paul de Beaudrap, who had settled at Whitewood and, anxious to repeat the experiment, joined Armand Trochu in the new scheme in 1905, just as Alberta was formed.

Armand Trochu from whom the prairie town obtained its name, came from Brittany. He was 46 when he was attracted in 1903 by the grassy valley along the Red Deer River east of Olds. Sheilagh Jamieson, writing in *The History Of Trochu and District*, says he came to Calgary the year before and spent several months visiting the Sheep Creek Ranch owned by fellow Frenchman Raymond de Malherbe at Millarville.

Millarville, it should be noted, had a sizeable group of French-speaking people at the time and the Malherbe ranch, known in the community as "Frenchman's Place", was a favourite retreat for French visitors. Malherbe's main interest was in thoroughbred horses.

### Millarville Ranch Used as a Base

Trochu may have had no plans when he arrived in Calgary in 1902, but after his stay at Millarville and, perhaps a visit with some French-Canadian friends at Pincher Creek, he wanted to take up ranching himself. In the meantime, he met in Calgary a Mrs. de Chauny, who offered shelter and guidance to French travellers, and discovered that her son Louis was also interested in finding land suitable for ranching.

The two young men decided to seek ranch land together. Setting out in the spring of 1903 with saddle horses and pack

l'expérience de cinq ans dans l'Ouest canadien. Ils laissaient derrière eux quelques belles fermes et de nombreux souvenirs.

La communauté de Trochu en Alberta est très comparable à bien des égards. Elle ne ressemblait à aucune autre colonie francophone de la province. Rien d'autre n'a eu tant de charme. Si surprenant qu'ait été le groupe des comtes de Whitewood, il est encore plus étonnant d'en trouver un autre en Alberta. Une différence cependant: la plupart des membres du groupe de Trochu étaient d'anciens officiers de cavalerie. Il y avait donc plus de colonels que de comtes. Un visiteur ayant des difficultés avec les noms français se tirait d'affaire en se servant tout simplement du titre de colonel sans que personne ne paraisse s'en formaliser.

### Retraite favorite des Français

Le seul lien entre le colonie de Whitewood et celle plus tardive de Trochu fut le comte Paul de Beaudrap qui avait vécu à Whitewood et qui, désireux de renouveler ce genre d'expérience, se joignit à Armand Trochu en 1905, alors que l'Alberta venait d'être formée.

Trochu, établi sur le site qui a par la suite pris son nom, venait de Bretagne. Il avait 46 ans quand, en 1905, il fut séduit par les herbages dans la vallée de la rivière Red Deer à l'est d'Olds. Sheilagh Jamieson raconte dans son *Histoire de Trochu et de la région*, que celui-ci était venu à Calgary l'année précédente et avait passé plusieurs mois à Millarville au Sheep Creek Ranch dont le propriétaire, Raymond de Malherbe, était un de ses compatriotes.

Il est à noter qu'il y avait à Millarville une colonie assez importante de francophones; il y avait également à l'époque, le ranch de Malherbe que la communauté appelait "chez le Français", et qui était la retraite favorite des visiteurs français. On y faisait surtout l'élevage des pur-sang.

### Le ranch de Millarville sert de base

Si Trochu, en arrivant à Calgary en 1902, n'avait aucun plan précis, après son séjour à Millarville cependant et peut-être aussi une visite à des amis canadiens-français de Pincher Creek, il décida de devenir fermier. Il rencontra à Calgary,

horses and using the Malherbe ranch at Millarville as their base, they followed the foothills north as far as Rocky Mountain House. They saw beautiful country, but not the ranch setting they wanted, and returned to Millarville. With fresh horses and supplies, they started again, this time travelling northeast from Calgary. In the vicinity of Three Hills, it seems, they met a Metis who advised them to inspect a nearby valley, not far back from the Red Deer River.

Trochu liked what he saw and after determining the exact location of a certain parcel of land, he returned to Calgary and bought from the Hudson's Bay Company the north half Section 8, Township 33, Range 23, west of the 4th meridian. Later, when land in the area was thrown open for homesteading, he filed on the southwest quarter of 16 in the same township. Now, unknown to him, his farm touched on two sides of the land on which the town of Trochu would rise.

Like any other settler, he had ground to break and cultivate, fences to make and buildings to construct. Lumber for his house was hauled from Didsbury. Progress was slow and Trochu was impatient. He took a partner, but the relationship did not last. Trochu went back to France, hoping to raise capital for a bigger farming programme, and, while he was absent in 1904, Count Paul de Beaudrap and his family drove out from Calgary, having heard about his efforts. As one of the counts in the Whitewood settlement, Beaudrap had lasted longer than most but had finally returned to France. Now, after finding it difficult to settle down in his native land, he was back in Canada, ready to begin the pioneering all over again.

Without waiting for Trochu's return from France, Beaudrap began looking for a farm. He finally bought a $1,000 property furnished with log buildings 14 miles east of Trochu's place and a couple of miles south. He called his new home Jeanne d'Arc Ranch.

There, in the grassy ravines leading down to the Red Deer River badlands, the courageous Mrs. Paul de Beaudrap became the first resident white woman in a big area. The location was much more remote and conditions more primitive than at Whitewood, but the family was resourceful and

madame de Chauny qui hébergeait et conseillait les Français de passage. Or il se trouva que Louis, le fils de cette dame, s'intéressait aussi à cette idée.

Les deux hommes décidèrent de se mettre ensemble en quête d'une terre convenable. Ils partirent au printemps de 1903 avec des chevaux de selle et des chevaux de charge. Prenant le ranch de Malherbe comme base, ils longèrent les Rocheuses vers le nord jusqu'à Rocky Mountain House. Ils découvrirent de magnifiques paysages mais pas ce qu'ils cherchaient. Ils rentrèrent alors à Millarville et repartirent avec des chevaux frais et des provisions, cette fois vers le nord-est de Calgary. Il semble qu'aux alentours de Three Hills, ils aient rencontré un Métis qui leur conseilla d'aller vers une vallée proche de la rivière Red Deer.

Trochu, attiré par l'endroit, s'assura de l'emplacement exact du terrain choisi et rentra à Calgary acheter à la Compagnie de la Baie d'Hudson la moitié nord de la section 8, commune 33, latitude 23, à l'ouest du 4e méridien. Plus tard, quand la région s'ouvrit à l'agriculture, il acquit le quart sud-ouest de la section 16 de la même commune. Ainsi sur deux côtés, ses terres délimitaient le futur village de Trochu; mais cela, il ne pouvait le savoir.

Comme tous les pionniers, il dut défricher et cultiver la terre, construire des clôtures et des bâtiments. Mais le bois pour la construction de la maison devait venir de Didsbury et cela ralentissait les travaux. Trochu, s'impatienta et prit un associé, mais sans succès. Il repartit en France pour essayer de trouver des fonds plus importants et pendant son absence, le comte de Beaudrap, qui avait entendu parler de lui, partit de Calgary avec sa famille. De Beaudrap, l'un des comtes de Whitewood, était resté plus longtemps que la plupart avant de rentrer en France. Cependant, n'arrivant pas à se réhabituer à son pays natal, il était revenu au Canada, prêt à tenter une nouvelle expérience.

Sans attendre le retour de Trochu, de Beaudrap commença à chercher une ferme dans les environs. Il en trouva une avec des bâtiments de rondins déjà construits, à 14 milles à l'est de Trochu et l'acheta pour $1,000.00. Il baptisa sa nouvelle demeure le ranch Jeanne d'Arc et c'est ainsi que la courageuse madame de Beaudrap devint la première femme

adapted quickly. More Beaudrap relatives and friends came from France and bought land or homesteaded.

### Settlement Drew Men of Rank
The Jeanne d'Arc Ranch was expanded by both homesteading and purchase and gained prominence for its production of good livestock — cattle, sheep, pigs and especially Percheron horses, which found a ready market in new areas where farmer settlers needed power. The breed, which originated in the district of La Perche in northwestern France, was a logical choice and Beaudrap imported high-class stallions for his breeding and improvement programme. He also brought in a few Belgian stallions which must have made him the breed founder in central Alberta.

The blue blood of France did not spare Beaudrap and his family from pioneer hardship. They knew what it was to have sickness in the home when the nearest medical aid was a hundred miles away; they felt the bitter experience of being lost in prairie blizzards, and they could not forget the cruel prairie fire that swept down on ranch and buildings with disastrous results in 1906, soon after they arrived. But in spite of all, the Beaudraps persevered nobly.

In the meantime, Armand Trochu found two partners for his enterprise, first Joseph Devilder, who was apparently well supplied with the needed funds, and then Léon Charles Eckenfelder, originally from Alsace-Lorraine. Devilder filed on the northwest of Section 16, which happened to be one of the quarters on which Trochu would be built. Together, these three made a strong partnership. Trochu moved at once to form the Ste. Anne Ranching and Trading Company, soon to be the most important business enterprise in the settlement.

More men of rank were attracted — Edgar Popillard, Marc de Cathelineau, Franois de Torquat, D. Louis Schulier and others, most of them with cavalry backgrounds in the French army. It is not surprising that horsemanship in the Trochu valley was of a high order.

### The Atmosphere Was Intensely French
By 1906 the settlement was changing greatly, for better

blanche à habiter cette vaste prairie accidentée menant aux landes de la rivière Red Deer. Les conditions étaient bien plus rudimentaires et l'endroit beaucoup plus isolé qu'à Whitewood; malgré cela, la famille, pleine d'ingéniosité, s'adapta très vite et d'autres membres de la famille ne tardèrent pas à les rejoindre.

## Les nobles s'assemblent

Le ranch Jeanne d'Arc s'agrandit à la fois par défrichement et par achat de terres, et devint célèbre pour son bétail et ses chevaux, surtout les percherons dont les nouveaux fermiers de la région appréciaient la force. Cette race originaire de la région de la Perche dans le nord-ouest de la France semblait idéale et Beaudrap importa des étalons de qualité pour son élevage. Il importa aussi quelques étalons belges, idée tout à fait nouvelle en Alberta.

Tout aristocrates qu'ils soient, les de Beaudrap eurent, eux aussi, des déboires: des maladies, alors que l'aide médicale la plus proche était à cent milles, des tempêtes de neige où l'on se perdait, et surtout le terrible incendie de prairie qui, en 1906, balaya et ravagea le ranch et les bâtiments. Malgré tout cela, ils persévérèrent avec noblesse.

Pendant ce temps, Armand Trochu s'associa à deux partenaires: tout d'abord, avec Joseph Devilder qui semblait disposer des fonds nécessaires puis avec Charles Eckenfelder qui venait d'Alsace-Lorraine. Devilder acheta la partie nord-ouest de la section 16, également dans les limites de la future localité de Trochu. À eux trois, ils formèrent une association forte et Trochu proposa immédiatement de former la Compagnie fermière et commerciale de Sainte-Anne qui devint très vite la plus prospère de la région.

D'autres hommes de marque allaient venir les rejoindre: Edgar Popillard, Marc de Cathelineau, François de Torquard, le Dr Louis Schulier et bien d'autres, pour la plupart anciens membres de la cavalerie de l'armée française. Il n'est donc pas étonnant que les chevaux aient occupé une place exceptionnelle dans la vallée de Trochu.

## L'atmosphère française

Dès 1906, les choses changèrent tant bien que mal.

or for worse. Trochu obtained his own post office which he called Ste. Anne of the Prairies. It was used briefly, but before the end of that year, the post office became Trochu, North West Territories, and Armand Trochu became the first postmaster. About the same time more wives and families arrived from France, subduing the gay days at Bachelors' Hall on the Ste. Anne Ranch.

It was still an intensely French atmosphere — French language, French music, French flag and, when occasion demanded, the French national anthem. As at the periodic arrival of the priest for the celebration of mass at Jeanne d'Arc Ranch, the selection was the Marseillaise.

More changes! More progress! The railway was constructed. The village to be known as Trochu was laid out. People of other ethnic origins began moving in. But the French influence remained strong. The annual sports days started in 1907 retained a French character, and the Trochu agricultural society formed in 1910, named Armand Trochu, president and Léon Charles Eckenfelder, secretary. The first fairs brought out the best displays of French cavalry uniforms the country has known.

The First World War marked the end of the French settlement for all practical purposes. French loyalty was never in doubt, and all who could qualify for service including Eckenfelder, returned home. Most did not come back to Alberta. However, Paul de Beaudrap's son, Xavier, returned and remained to farm. Eckenfelder returned but died soon after the war ended. Trochu, who was considered too old for war, had a heart attack in 1917 and went home to France. Much of the land held by the St. Anne Company was ultimately surrendered to the village and only a few French names remained.

It was exciting and colourful while it lasted, but it did not last long. It was like the "ships that pass in the night", and memories came to constitute the principal remaining link with the gallant effort to create a lush French oasis in what might have been seen as a frontier desert.

Trochu obtint son propre bureau de poste qu'il appela Sainte-Anne-des-Prairies, en service pendant peu de temps car avant la fin de l'année, ce bureau de poste s'appela Trochu, Territoires du Nord-Ouest et Armand Trochu devint le premier receveur des postes. Par ailleurs, la venue de France des épouses et des enfants modéra quelque peu les réjouissances des célibataires au Ranch Sainte-Anne!

L'atmosphère demeurait très française; la langue, la musique et le drapeau étaient français et quand les circonstances exigeaient que l'on chante l'hymne national, cela aussi se faisait en français. De même qu'au ranch Jeanne d'Arc, lorsque le prêtre venait dire la messe, c'est la Marseillaise que l'on choisissait.

Encore des changements, encore des progrès! On construisait le chemin de fer. L'actuel village de Trochu était fondé. D'autres groupes ethniques arrivaient mais l'influence française y était toujours prédominante. Les festivités sportives annuelles lancées en 1907, conservaient une ambiance française et la Société agricole de Trochu, créée en 1910, eut pour président Armand Trochu et pour secrétaire Léon Charles Eckenfelder. Les premières foires présentèrent d'ailleurs d'extraordinaires défilés d'uniformes de la cavalerie française.

C'est la Première Guerre mondiale qui mit fin à cette expérience. À jamais fidèles à la cause française, tous les hommes capables de servir sous les drapeaux, y compris Eckenfelder, rentrèrent en France. La plupart ne revinrent jamais en Alberta. Xavier de Beaudrap, fils de Paul, et Eckenfelder revinrent pourtant à leurs terres mais Eckenfelder mourut peu après la fin de la guerre. Trochu, trop âgé pour se battre, eut une crise cardiaque en 1917 puis rentra en France. La majeure partie des terres de la Compagnie Sainte-Anne fut finalement remise au village et seuls quelques noms français tinrent lieu de vestiges.

Ce fut un intermède passionnant et pittoresque mais de très courte durée, semblable à des bateaux qui passent dans la nuit. En effet, de ce vaillant effort de créer une luxuriante oasis française, il ne reste guère plus que les souvenirs.

# 12

## THE STRUGGLE TO AVOID ASSIMILIATION AND KEEP THE CULTURAL FLAME BURNING

Colourful as the French settlement of French aristocrats at Whitewood and Trochu proved to be, their lasting contribution to the West was not as great by any measure as that of the more humble French groups which came almost unnoticed to build homes, raise families and become permanently welded to the country.

Church leaders were especially active in promoting a plebeian and practical form of settlement which they hoped would give the West a pronounced French-Canadian hue. The plump, jovial Bishop Alexandre Taché once described as the most influential man in the West, was among those with instincts of a coloniser; he made appeals to both Quebec and France in his bid to fill the West with French-speaking people. A French colonisation society was formed at St. Boniface, and there was another in Montreal, but the response was not spectacular. For some reasons German, Ukrainian and Scandinavian immigrants seemed to display more enthusiasm for pioneering western style and more willingness to accept the isolation of the homestead.

### Three Ethnic Groups Lived in Segregation

Differences in living patterns became clear. French and French-Canadian settlers were not as cohesive as the Mennonites, but were more gregarious than most other ethnic groups. Like Quebec in the family of Canadian provinces, settlers in the French-Canadian clusters of the West tried to retain French distinctions. In other words, the early German and Swedish colonies lost identity to integration more rapidly and more completely than the French-Canadian set-

# 12

## LA LUTTE CONTRE L'ASSIMILATION POUR LA SAUVEGARDE D'UNE CULTURE

Bien que les aristocrates français de Whitewood et de Trochu aient été très remarqués, leur apport au développement de l'Ouest n'a pas été aussi durable que celui des groupes français de plus humbles origines venus sans éclat bâtir des maisons, élever des enfants, et s'implanter au pays de façon permanente.

Le clergé catholique en particulier s'est évertué à faire de la colonisation un grand mouvement populaire pour assurer, espérait-il, une forte influence canadienne-française dans l'Ouest. L'évêque Alexandre Taché, homme jovial, grassouillet et, selon certains, la personnalité la plus influente de l'Ouest, était un colonisateur né. Il a fait appel à la fois au Québec et à la France pour susciter une immigration de francophones dans l'Ouest. Une Société de colons français s'est formée à Saint-Boniface, une autre à Montréal, mais le résultat n'a rien eu de spectaculaire. Sans raison apparente, les Allemands, les Ukrainiens et les immigrants scandinaves semblaient montrer plus d'enthousiasme à s'établir dans l'Ouest et acceptaient plus volontiers l'isolement.

### Trois groupes ethniques vivaient en ségrégation

Différents genres de vie s'établissaient. Les Français et les Canadiens français ne formaient pas une société aussi homogène que les Mennonites, mais ils étaient bien plus grégaires que les autres groupes ethniques. Les Canadiens français de l'Ouest, comme ceux du Québec entouré de provinces anglophones, essayaient de maintenir les particularités françaises. En d'autres termes, les colonies allemandes et suédoises perdirent vite leur identité et s'intégrèrent beaucoup plus rapidement que les Canadiens français vivant

tlements in southern Manitoba, or at Ponteix, Gravelbourg, Lisieux, Laflèche and St. Louis in Saskatchewan, or St. Albert, Morinville, Lamoureux, Legal, Girouxville, Beaumont and Picardville in Alberta.

Voyageurs from the St. Lawrence who decided to remain in the West would have to be recognised as the first French-Canadian settlers, but the first directed settlement resulted from Father Provencher's efforts after he arrived in Red River in 1818. On his arrival he saw three ethnic groups living in well-ordered segregation. The Scottish settlers of the Selkirk colony — mainly from Kildonan and nearly all Presbyterian — were on the long narrow riverlot farms below Fort Douglas. A larger Metis group had chosen Pembina because it was closer to good buffalo hunting. And the generally unhappy German and Swiss from the disbanded des Meurons Regiment lived along the Seine River, on the east side of the Red.

## French-Canadians soon Outnumbered

Because the German and Swiss were Catholic, Provencher chose the east side of the Red River — roughly opposite the mouth of the Assiniboine — for his church. He knew he would make no impression upon the Kildonan Presbyterians, but he hoped to strengthen his church community with immigrants of the so-called Canadians from Lower Canada, meaning French-Canadians from Quebec, while at the same time drawing Metis from Pembina.

Provencher succeeded with both groups. French-speaking families from the St. Lawrence joined him at once, settling on land that would become part of the city of St. Boniface, the name of the Germans' patron saint. The French-speaking newcomers adapted readily, but clung firmly to their language and St. Lawrence customs. From the start, St. Boniface looked like the western capital of everything French.

In 1823, most Pembina Metis moved, some to join the French-speaking colonists at St. Boniface, others to continue west, where they joined Cuthbert Grant's White Horse Plains Settlement.

Successive attempts to reinforce the French-speaking

dans le Sud du Manitoba ou à Ponteix, Gravelbourg, Lisieux, Laflèche et Saint-Louis en Saskatchewan, ou encore à Saint-Albert, Morinville, Lamoureux, Legal, Girouxville, Beaumont, Picardville en Alberta.

Les "voyageurs" en provenance du Saint-Laurent, qui avaient décidé de rester dans l'Ouest, méritent d'être reconnus comme les premiers colons canadiens-français. La première colonie organisée est cependant l'oeuvre du père Provencher, après son arrivée à Rivière-Rouge, en 1818. Très vite, il remarqua le fait que trois groupes ethniques vivaient en état de ségrégation. Les pionniers écossais de la colonie de Selkirk venaient de Kildonan et étaient presque tous presbytériens; ils s'étaient établis sur les terres juste au-dessous de Fort Douglas. Un groupe plus important de Métis avait choisi Pembina, à proximité du territoire du bison, et les infortunés Allemands et Suisses, anciens soldats de l'ex-régiment de de Meuron, vivaient le long de la rivière Seine, à l'est de la rivière Rouge.

### Les Canadiens français sont moins nombreux

Les Allemands et les Suisses étant catholiques, Provencher avait choisi le côté est de la rivière Rouge, en face de l'embouchure de l'Assiniboine, pour bâtir son église. Il savait qu'il n'allait faire aucune impression sur les presbytériens, mais il espérait renforcer sa paroisse grâce aux immigrants appelés Canadiens du Bas-Canada, c'est-à-dire, les Canadiens français du Québec. Il comptait également attirer les Métis de Pembina.

Dans les deux cas, ses efforts furent couronnés de succès. Des familles francophones du St-Laurent se joignirent à lui aussitôt et s'établirent sur des terres où s'élève aujourd'hui la ville de Saint-Boniface, nom du patron allemand. Les nouveaux arrivés francophones s'adaptèrent très vite tout en conservant leur langue et les coutumes du Saint-Laurent. Dès le départ, Saint-Boniface devint la capitale de l'Ouest pour tout ce qui était français.

En 1823, la plupart des Métis de Pembina déménagèrent et quelques-uns rejoignirent la colonie francophone de Saint-Boniface; d'autres continuèrent vers l'Ouest pour se joindre à la colonie de Cuthbert Grant à White Horse Plains.

population in the area that would become Manitoba were only moderately successful, although a few immigrants came from each of the three regions to which appeals were directed: France, the region of Lower Canada which was to become the province of Quebec, and the New England States. Many young Quebecers had gone to Massachusetts and other parts of the U.S. northeast, and there was now some hope of persuading them to come to St. Boniface.

There was disappointment at the apparent indifference among many church leaders in Quebec who were thought to be unimpressed by the prospect of western opportunity or unforgiving about the way the West and the entire country treated Louis Riel after the Red River trouble. It might be better, some easterners seemed to be reasoning, to keep French-Canadian political strength in Quebec and expand north, where the result would be less disturbing to the well-integrated Quebec community.

The French-Canadian population of Manitoba did not grow quickly, but it did grow, and St. Boniface became the wellspring of new communities like Letellier, St. Jean-Baptiste, Ste. Agathe and St. Charles, a name chosen in tribute to de la Vérendrye.

Farther west, in what would become Saskatchewan and Alberta, the few French and French-Canadians who came to settle were soon outnumbered by immigrants of other nationalities who came from Europe or the United States. The French-Canadians could properly boast of a stock which produced de la Verendrye and de la Salle, but at the time the habitant farmers of the East seemed willing to leave the western homestead challenge to others.

In Saskatchewan, French-Canadian settlements arose in scattered parts like Gravelbourg, Mélaval, Laflèche, Lisieux and Ponteix in the south, and Duck Lake and St. Louis farther north, places which experienced a modest influx of French names in or soon after 1893. Most of these settlements attracted people with simple homemaking ambitions. They brought their priests and French pride and would have been satisfied to make their western entry unnoticed.

Par la suite, on essaya à plusieurs reprises d'accroître la population francophone de l'actuel Manitoba sans obtenir le succès escompté. Pourtant, les immigrants venaient de trois régions peuplées de Français: la France, le Bas-Canada, c'est-à-dire le Québec, et les États de la Nouvelle-Angleterre. De nombreux jeunes Québecois étaient allés au Massachusetts et dans d'autres régions au nord-est des États-Unis et on espérait encore les convaincre de venir à Saint-Boniface.

Mais l'apparente indifférence du clergé québecois fut plutôt décevante. Peut-être doutait-il de la viabilité de la conquête de l'Ouest ou ne pardonnait-il pas à l'Ouest ni au pays tout entier la façon dont on avait traité Louis Riel après les événements de Rivière-Rouge. Il lui semblait peut-être plus sûr — quelques francophones de l'Est en étaient persuadés — de garder la force politique des Canadiens français au Québec et de l'étendre vers le nord où le résultat perturberait moins l'ordre bien établi de la communauté du Québec.

La population francophone du Manitoba n'a donc pas augmenté très vite; Saint-Boniface, cependant, devint peu à peu le noyau de nouvelles communautés francophones telles que Letellier, Saint-Jean-Baptiste, Sainte-Agathe, et Saint-Charles, nom choisi en souvenir de La Vérendrye.

Plus à l'ouest, dans ce qui allait devenir la Saskatchewan et l'Alberta, les Français et les Canadiens français venus s'établir ont été très vite dépassés en nombre par les autres nationalités venues de l'Europe et des États-Unis. Les Canadiens français pouvaient à juste titre se vanter d'un La Vérendrye ou d'un La Salle, néanmoins, les fermiers de l'Est semblaient prêts à laisser à d'autres le soin de développer l'Ouest.

En Saskatchewan, les Canadiens français se disséminèrent en plusieurs endroits tels que Gravelbourg, Melaval, Laflèche, Lisieux et Ponteix dans le sud, et Duck lake et Saint-Louis plus au nord. Ces endroits reçurent un certain nombre de familles françaises aux alentours de 1893. La plupart de ces villages attiraient des gens dont l'unique ambition était de s'établir sur une ferme. Ils amenaient avec eux leurs prêtres, leur culture française et comptaient mener une existence paisible.

## The Prime Interest Was in Farming.

In Alberta, French-Canadian settlers gravitated to northern districts, here Roman Catholic missionaries had followed the Metis. French-Canadian settlers in turn followed their church. Hence many of the French-Canadian settlements, such as St. Albert and Morinville, were Metis communities first, although they ultimately became more French than Metis.

The first Roman Catholic parish within the bounds of today's Alberta, was at Lac Ste. Anne, founded by Father Jean-Baptiste Thibault in 1842. Father Lacombe journeyed with Bishop Taché to find a site for another colony to serve the growing population of Metis and chose land overlooking the Sturgeon River, due north of Fort Edmonton. It was given the name of St. Albert and a few natives went at once from Lac Ste. Anne.

By 1877, St. Albert was catching the interest of French-Canadian settlers from Quebec and elsewhere, people whose prime interest lay in farming. They brought many names which persisted — among them Gagnon, Majeau, Harnois, Cust, Brosseau, Couture, Chattelain and Beaupré — and gave an immediate impetus to agriculture over a fairly big area. In 1888, with prospects of a good crop, settlers successfully petitioned for construction of a grist mill at a river dam a few miles downstream on the Sturgeon. The mill ground out 20 bags of coarse flour a day until March 19, 1890, when it was destroyed in a forest fire.

In 1879, the St. Albert district harvested its best crop. The Edmonton Bulletin complained that with only two small threshing machines in the country, "both constantly out of repair", the harvest was recovered extremely late. But the soil was asserting itself significantly and the St. Albert Mission Farm obtained 917 bushels of wheat, 164 bushels of barley, 75 bushels of oats, 1,100 bushels of potatoes and 450 tons of hay. Farming was making a big stride forward in a part of the country where the roots of commerce were still in the fur trade. The newly arrived French-Canadian settlers were reassured.

Edmonton's first agricultural fair, on October 15, 1879, was symbolic of the change, and the new settlers at St.

## La ferme: le seul et principal intérêt

En Alberta, les Canadiens français s'établirent dans les régions du nord où les missionnaires catholiques avaient suivi les Métis. Les Canadiens français, à leur tour, suivirent leur Église. Ainsi, des villages tels que Saint-Albert et Morinville, ont d'abord été des communautés de Métis avant de devenir à dominance française.

La première paroisse catholique en Alberta a été fondée en 1842 au Lac Sainte-Anne par le père Jean-Baptiste Thibault. Le père Lacombe et l'évêque Taché se mirent en quête d'un site convenant à une autre colonie afin de décongestionner la population métisse et ils choisirent un endroit dominant la rivière Sturgeon, au nord du fort Edmonton. Ils lui donnèrent le nom de Saint-Albert où quelques autochtones, en provenance du Lac Sainte-Anne, vinrent s'établir aussitôt.

Dès 1877, Saint-Albert attirait déjà, du Québec et d'ailleurs, des pionniers s'intéressant surtout à l'agriculture. Ils apportèrent plusieurs noms que l'on retrouve encore aujourd'hui: les Gagnon, Majeau, Harnois, Cust, Brosseau, Couture, Chattelain et Beaupré. Ces personnes ont donné un élan immédiat à l'agriculture dans une région relativement étendue. En 1888, la récolte étant très prometteuse, les pionniers obtinrent la construction d'un moulin à blé, à proximité du barrage situé à quelques milles en aval, sur la Sturgeon. On y moulait 20 sacs de farine brute par jour, jusqu'à ce qu'un feu de forêt le détruise, le 19 mars 1890.

En 1879, la région de Saint-Albert connut sa meilleure récolte. Le bulletin d'Edmonton se plaignait du fait que Saint-Albert ne possédant que deux petites machines à battre, toujours en panne d'ailleurs, la moisson ait été rentrée très tard. Mais la terre était très bonne, et cette année à la ferme de la mission Saint-Albert, on obtint 917 boisseaux de blé, 164 boisseaux d'orge, 75 boisseaux d'avoine, 1,100 boisseaux de pommes de terre et 450 tonnes de foin. Il commençait à y avoir de grandes fermes dans cette partie du pays où le commerce principal était toujours celui des fourrures.

À la foire agricole d'Edmonton, le 15 octobre 1879, on s'aperçut du changement, car les nouveaux fermiers de Saint-Albert participèrent aux expositions. Les noms de

Albert were among the exhibitors and supporters. Names from that list of arrivals just two years before were prominent among the winners: Capt. George Gagnon's role in helping organise the fair was acknowledged, and Louis Beaupré won first prize of $200 for the best broad mare with foal at foot while Edmond Brosseau was second in the saddle horse competition. Louis Chattelain won second prize of $100 for his team of horses, and the St. Albert Mission won first prize for onions, first for cabbages, first for cheese, second for butter, and second for carrots. Altogether, it was enough to give St. Albert a degree of leadership in agriculture, and the mission, with support from the new French-Canadian settlers, at once made arrangements to buy a bigger threshing machine.

**Fast Horses Drew Interest of Some**

Some of the St. Albert newcomers were also interested in fast horses and races, among them Edmond Brosseau, who was reported in the Edmonton Bulletin of January 7, 1890, as having bought a fast horse, Big Knee, for the high price of $200. Brosseau, the Bulletin said, was "prepared to run anything around Edmonton a three-quarter-mile race at any time." And William Cust, another of the immigrants to St. Albert in 1877, was bringing in the first "twine binder" seen in the area of Alberta.

More settlers came from Quebec in 1880 and 1881. By that time, they could come by rail as far as Winnipeg. The rest of the trip would have to be by trail or river. One of the arrivals in 1881, David Chevigny, transferred his wife and nine children to Red River carts for the thousand-mile journey by trail.

**Chilly Reception for New Arrivals**

In 1891, a party of 65 French-Canadians arrived in Calgary by rail en route to St. Albert. They travelled at least 200 miles in 12 horse-drawn sleighs over late winter trails. It was a chilly reception for the new arrivals, who had come from France, the eastern United States and Quebec, but Bishop Grandin and Father Morin, who hoped the immigrants would increase the strength of the French commun-

gens installés depuis seulement deux ans se retrouvèrent souvent sur la liste des gagnants: le capitaine Georges Gagnon qui avait aidé à organiser la foire, Louis Beaupré qui gagna le premier prix de $200.00 pour la meilleure poulinière tandis que Edmond Brosseau reçut le second prix du concours des chevaux de selle. Louis Chattelain obtint le deuxième prix de $100.00 pour ses chevaux et la mission elle-même remporta le premier prix pour ses oignons, ses choux et son fromage, et le deuxième prix pour son beurre et pour ses carottes. C'en était assez pour que Saint-Albert fasse figure d'avant-garde en agriculture; et la mission, soutenue par les nouveaux fermiers canadiens-français, prit immédia-tement toutes les dispositions nécessaires pour acheter une plus grosse machine à battre.

### Des chevaux de course

Quelques-uns des nouveaux arrivés à Saint-Albert s'intéressaient aussi aux chevaux de course et aux courses elles-mêmes. Parmi eux, Edmond Brosseau qui, selon le bulletin d'Edmonton du 7 janvier 1880, acheta un cheval de course, Big Knee, pour l'importante somme de $200.00. Toujours selon le bulletin, Brosseau était "prêt à se mesurer à quiconque sur un parcours de trois-quarts de mille autour d'Edmonton, et ce n'importe quand". William Cust, lui aussi venu du Saint-Laurent en 1877, introduisit la première botteleuse jamais vue dans cette région.

D'autres pionniers arrivèrent du Québec en 1880 et 1881. On pouvait alors venir en train jusqu'à Winnipeg, puis on continuait en charrette ou en bateau. David Chevigny, arrivé en 1881 avec sa femme et ses neuf enfants, avait accompli ce voyage de mille milles dans des charrettes de Rivière-Rouge.

### Accueil glacial

En 1891, 65 Canadiens français, en route pour Saint-Albert, arrivèrent à Calgary. Ils avaient parcouru au moins 200 milles dans des traîneaux, puisque c'était encore l'hiver. C'était une réception froide pour les nouveaux venus de France, de l'Est des États-Unis et du Québec. Cependant, l'évêque Grandin et le père Morin, qui espéraient que des

ity enough to ensure minority rights for their religion and language, arranged a warmer welcome near the destination. Friends from St. Albert drove out over the winter trail to meet the new arrivals and escort them to their new homes.

Not far from St. Albert, at the mouth of the Sturgeon River, was a small but flourishing French-Canadian community started by the Lamoureux brothers, Joseph and François, in 1872. The Lamoureux brothers, from Old Quebec, were in the Fraser River gold rush and afterwards came to Fort Edmonton. There was no shortage of land from which to choose, but they looked carefully before finding what they sought at the mouth of the Sturgeon and building a cabin there.

Jean-Baptiste Beaupré joined the two in 1874 to build on the upstream side. More friends and relatives came from Quebec and, during the Lamoureux's third year in the area, the North West Mounted Police moved from Fort Edmonton to build Fort Saskatchewan on a site which the commanding officer believed offered more than Edmonton for a city location. The same year, 1875, Lamoureux became a post office and members of the small settlement were granted permission to have the riverlot type of survey, the kind they had known in their home province.

Five years after the brothers selected their land, this distinctly French-Canadian district, almost in the shadow of Edmonton, had enough families to support the building of a log church. Progressive people, they too were exhibitors at Edmonton's first fair. Tom Lamoureux won first prize in the butter competition and his wife won a first for fancywork. The Edmonton Bulletin of January 3, 1885, reported that the Lamoureux brothers had threshed 26,000 bushels of grain from the 1884 crop.

By 1894, the St. Albert district had a population of 1,000 and was beginning to "overflow" into new communities. Both Metis and French-Canadians, with Father Lacombe's blessing, established new parishes. St. Jean-Baptiste at Morinville in 1891, St. Vital at Beaumont in 1892, St. Emergence at Rivière Que Barre in 1893 and so on. Legal, named in honour of Bishop Legal, received its first settlers in 1894, mainly from points in the eastern United States, and drew

immigrants viendraient accroître la communauté française, en nombre suffisant pour lui assurer les droits des minorités à leur langue et leur religion, leur préparèrent un accueil un peu plus chaleureux avant qu'ils n'arrivent à destination: des amis de Saint-Albert vinrent à leur rencontre et les escortèrent jusqu'à leurs nouvelles demeures.

Pas très loin de Saint-Albert, à l'embouchure de la rivière Sturgeon, il y avait une communauté franco-canadienne petite mais prospère, fondée, en 1872, par les frères Joseph et François Lamoureux. Les frères Lamoureux, originaires du Québec, avaient participé à la ruée vers l'or du Fraser, avant de venir à Fort Edmonton. Les terres ne manquaient pas, mais ils les avaient examinées soigneusement et avaient fini par trouver ce qu'ils cherchaient à l'embouchure de la Sturgeon. C'est là qu'ils construisirent une cabane.

Jean-Baptiste Beaupré les rejoignit, en 1874, et s'établit un peu plus loin en amont. D'autres amis et des parents arrivèrent du Québec et, durant l'année 1875, la Gendarmerie Royale du Nord-Ouest vint de Fort Edmonton pour construire Fort Saskatchewan sur un site qui, selon le commandant, convenait mieux qu'Edmonton à une future ville. Cette même année, Lamoureux devint un bureau de poste. On accorda aux membres de la petite communauté le droit de faire établir le plan cadastral dont ils avaient l'habitude dans leur province, avec les parcelles le long de la rivière.

Cinq ans plus tard, cette région que les frères Lamoureux avaient choisie pour établir leur communauté, presque à l'ombre d'Edmonton, avait assez d'habitants pour contribuer à la construction d'une église en rondins. Et bien entendu, eux aussi participèrent à la première foire d'Edmonton. Tom Lamoureux remporta le premier prix du concours de beurre, et sa femme, un premier prix également pour ses broderies. Le bulletin d'Edmonton du 3 janvier 1885 rapporte que les frères Lamoureux avaient récolté 26,000 boisseaux de grain durant la moisson de 1884.

En 1894, la région de Saint-Albert était peuplée de 1,000 habitants et commençait à s'étendre et à créer de nouvelles communautés. Les Métis et les Canadiens français, avec l'aide du père Lacombe, établirent de nouvelles paroisses: Saint-Jean-Baptiste, à Morinville, en 1891, Saint-Vital, à

more from the French-Canadians who set out for the Klondike on the Edmonton route and gave up in favour of farming among their own people.

In the spring of 1891, Father J.B. Morin assumed the role of coloniser and brought French-Canadians to the district north of St. Albert, now Morinville. Until that time the district had only one settler, Paul Auve. Morinville grew and prospered, and more places were added to the list of clearly French settlements. They included Villeneuve, Picardville and, when the Peace River district began to open up later, Girouxville, Falher and others.

## Beaumont Did Not Lose its Character

After founding Morinville, Father Morin turned his attention to placing people on good land southeast of Edmonton and about 10 miles east of Leduc. The first settlers came from Quebec and the eastern United States in 1892, and four years later residents gave the village the name Beaumont. It was one of the few settlements south of Edmonton that did not lose its French-Canadian character.

Then, there was St. Paul des Metis, later St.Paul, which was another case of a Metis settlement that became more French than Metis. Father Lacombe believed that the Metis needed shelter from the influences of the encroaching civilisation and persuaded the federal government to furnish a land reservation consisting of four townships. The trustees for the project would hold the land on a 21-year lease. In 1896, the land was subdivided by government survey to permit the allocation of 80 acres to each halfbreed family.

The plan gave promise until 1908 when, according to *The History Of The Catholic Church in Central Alberta* by Archbishop Emile Legal, "a great number of settlers arrived to take upland in the neighbourhood... 20 homesteads at least (were) taken by French-Canadians. It was useless to attempt to discourage this tide which was about to be still further increased... Finding it was no longer possible to check the course of immigration, it was resolved to further it by bringing a select class of colonists to occupy the magnificent land." Hence the present cosmopolitan town and district of St. Paul evolved.

Beaumont, en 1892, Sainte-Émergence, à Rivière Que Barre, en 1893, et ainsi de suite. Legal, ainsi nommé en l'honneur de l'évêque Legal, accueillit ses premiers pionniers en 1894. Ils venaient principalement de l'Est des États-Unis et attirèrent de plus en plus de Canadiens français qui, en route vers le Klondike via Edmonton, changèrent d'avis pour devenir fermiers parmi leurs compatriotes. ·

Au printemps de 1891, le père Morin, jouant le rôle de colonisateur, amena des Canadiens français dans la région au nord de Saint-Albert où s'élèvera plus tard Morinville. Jusqu'à cette époque, la région n'avait qu'un seul pionnier: Paul Auvé. Avec les années, Morinville s'agrandit et devint prospère. Ce fut le point de départ de nouvelles communautés très françaises telles que Villeneuve, Picardville et, plus tard, quand la région de Rivière-la-Paix se développa, Girouxville, Falher et bien d'autres.

## Beaumont ne perd pas son caractère

Après avoir fondé Morinville, le père Morin se tourna vers les bonnes terres au sud-est d'Edmonton, environ à 10 milles à l'est de Leduc. Les premiers pionniers vinrent du Québec ou de l'Est des États-Unis, en 1892, et, quatre ans plus tard, les habitants donnèrent au village le nom de Beaumont. C'est l'une des rares communautés au sud d'Edmonton qui ne perdit pas son caractère canadien-français.

Puis il y eut Saint-Paul des Métis, par la suite Saint-Paul, autre communauté métisse à l'origine et devenue peu à peu très française. Le Père Lacombe, croyant que les Métis devaient être protégés de l'influence de la civilisation naissante, avait persuadé le gouvernement fédéral de leur réserver une superficie de quatre communes. On devait leur retenir ces terres pendant 21 ans. En 1896, la terre fut subdivisée par le gouvernement et allouée aux Métis en parcelles de 80 arpents par famille.

Ce plan semble très prometteur jusqu'en 1908, année où, selon l'*Histoire de l'Église catholique du centre de l'Alberta*, écrite par l'archevêque Émile Legal "de nombreux pionniers s'installent sur des terres avoisinantes...au moins 20 nouvelles fermes occupées par des Canadiens français. Il semblait inutile de freiner cet afflux qui n'allait que s'accroître...

Southern Alberta was not without its pockets of French-Canadians. Millarville, as noted, had one, and so did Sylvan Lake, where the earliest settlers were repatriated French-Canadians from Michigan who arrived in 1889. But the settlement at Pincher Creek holds special interest in view of the distinctive individuals who were part of it and who gained fame in ranching, rodeo, freighting and operating the pioneer stage-coaches.

### 12-Horse Team Impressive Sight

Among the best known were Georges and Frank Lavasseur, who came from New Brunswick by way of Fort Benton and homesteaded east of Pincher Creek in 1882. Georges built a livery stable at Fort Macleod and he and his brother and brother-in-law, Harry Stedman, branched into freighting, coaching and mail delivery. They had four-horse teams hauling stage-coaches between Pincher Creek and Fort Macleod as well as a 12-horse team which hauled freight in different directions. The editor of the Macleod Gazette saw the outfit from time to time and never failed to report his admiration. On December 1, 1884, he reported, "The general comment is that the twelve-horse team belonging to Lavasseur and Stedman is a mighty fine one." On February 7, 1885, he reported, "Lavasseur and Stedman's twelve-horse team returned from Calgary on Tuesday with lead, swing and trail wagons loaded with shingles. The load weighed about 10,000 lbs."

The Lavasseur brothers also dug the first irrigation canals at Pincher Creek. Their neighbour, Henri Rivière, who had come directly from France, became a well-known game warden, mountain guide and driver of dog teams. Another neighbour, Max Brouillet from Montreal, settled to farm on French Flats but soon set up a stage-coach service and carried mail.

### French "Voices" Kept Alive

The people in the French-Canadian settlements knew the threat of assimilation to their culture and struggled to resist it. Edmonton, which has always had a sizeable French-Canadian population, has been the source of strong educa-

Puisqu'on ne pouvait le contrôler, on décide de le favoriser en amenant certains groupes de colons bien choisis s'établir sur ces excellentes terres". Saint-Paul et sa région sont nés de cette arrivée d'immigrants de toutes nationalités.

Le Sud de l'Alberta aussi comportait des groupes de Canadiens français: il y en avait un à Millarville, ainsi qu'à Sylvan Lake, dont les premiers pionniers, arrivés en 1893, étaient des Canadiens français rapatriés du Michigan. De toutes ces communautés, Pincher Creek est la plus intéressante, grâce à tous ceux qui se sont rendus célèbres dans les rodéos, l'agriculture, le transport de marchandises ou le service de diligences.

### Douze chevaux pour la diligence

Parmi les personnes les plus célèbres de Pincher Creek, il y eut Georges et Frank Lavasseur venus du Nouveau-Brunswick, via Fort Benton et devenus fermiers à l'est de Pincher Creek en 1882. Georges bâtit une écurie à Fort Macleod puis aidé de son frère et de son beau-frère, Harry Stedman, se lança dans le transport de marchandises et de voyageurs et la livraison du courrier. Ils reliaient Pincher Creek à Fort Macleod par des diligences tirées par des attelages de quatre chevaux tandis qu'un attelage de douze chevaux transportait des marchandises dans toutes les directions. L'éditeur de la gazette de Fort Macleod les voyait de temps en temps et ne manquait jamais de les mentionner avec admiration. Le premier décembre 1884, il note: "Je dois dire que cet attelage de douze chevaux appartenant à Lavasseur et à Stedman est tout à fait exceptionnel". Le 7 février 1885, il écrit: "L'attelage de douze chevaux de Lavasseur et de Stedman est revenu de Calgary, mardi, avec trois chariots bondés de 10,000 livres de bardeaux".

Les frères Lavasseur construisirent également les premiers canaux d'irrigation à Pincher Creek. Leur voisin, Henri Rivière, venu directement de France, se fit connaître par ses fonctions de garde-chasse et de guide de montagne de même que par son adresse à mener des attelages de chiens. Un autre voisin, Max Brouillet, venu de Montréal, devint fermier à French Flats mais lança bientôt, lui aussi, un service de diligence et de livraison de courrier.

tional and organisational efforts to keep the cultural flame burning. For a province with only 95,000 citizens who declare themselves of French origin — and less than half that number say French is their first language — it speaks for their zeal that there is such a clear voice in the Association Canadienne-Française d'Alberta, a French-language newspaper that has been publishing for almost 50 years, French-language radio and television, and Collège Saint-Jean, affiliated with the University of Alberta.

Alberta's French-Canadians are determined.

*L'abbé Jean-Baptiste Morin, fondateur de Morinville*

## Les "voix" françaises demeurent

Les populations franco-canadiennes ont subi la menace de l'assimilation et ont lutté pour y résister. Edmonton a toujours eu une assez grande population de Franco-Canadiens et c'est dans cette ville qu'on a le plus travaillé à préserver la culture française. Dans une province qui ne compte que 95,000 habitants se déclarant d'origine française, dont moins de la moitié revendiquent le français comme première langue, le zèle de ces Franco-Canadiens ne fait aucun doute. La preuve en est donnée par la voix de l'Association canadienne-française d'Alberta, le journal de langue française établi depuis cinquante ans, les chaînes de radio et de télévision françaises, de même que le Collège Saint-Jean, affilié à l'Université de l'Alberta.

Les Canadiens français de l'Alberta sont convaincus.

*La famille Lucas*

*Premier conseil du village de St-Albert, 1902*
*Debout: N. Asselin, Fleury Perron, Henry Cunningham,*
*Lucien Boudreau*
*Assis: David Chevigny, Chery Hebert (maire), Joseph Leonard*

# TABLE OF CONTENTS

# TABLE DES MATIÈRES

# PUBLICATIONS DES
# ÉDITIONS DES PLAINES

# DISTRIBUÉ PAR
# LES ÉDITIONS DES PLAINES

**L'espace de Louis Goulet**
Guillaume Charette
(Éditions Bois-Brûlés)

Achevé d'imprimer
en novembre 1984
par la maison Avant-Garde
193, rue Dumoulin
Saint-Boniface, Manitoba